उर्दू साहित्य का देवनागरी में लिपीकरण : कुछ समस्याएँ, कुछ सुझाव

वाणी प्रकाशन
21-ए, दरियागंज, नयी दिल्ली-110002
फोन : 011-23273167, 23275710, 41562622
फैक्स : 011-23275710
e-mail : vani_prakashan@yahoo.com
vaniprakashan@gmail.com
website : vaniprakashan.com

उर्दू साहित्य का देवनागरी में लिपीकरण : कुछ समस्याएँ, कुछ सुझाव

वागीश शुक्ल

वाणी प्रकाशन का लोगो
विख्यात चित्रकार मकबूल फिदा हुसेन
की कूची से

वाणी प्रकाशन

21-ए, दरियागंज, नयी दिल्ली-110002
द्वारा प्रकाशित

प्रथम संस्करण : 2003
द्वितीय संस्करण : 2007

मूल्य : 195.00

शुभम् ऑफसेट, दिल्ली-110032
द्वारा मुद्रित

URDU SAHITYA KA DEVNAGRI
MEIN LIPIKARAN:
KUCH SAMASYAEIN, KUCH SUJHAV
***by* Vagish Shukla**

विश्वविद्यालय का वक्तव्य

आम तौर पर यह धारणा है कि विश्वविद्यालय स्तर पर हिंदी साहित्य, भाषा और संस्कृति का जो अध्ययन-अध्यापन होता है वह अधिकतर रूढ़िग्रस्त और उबाऊ हो गया है। महात्मा गांधी अन्तरराष्ट्रीय हिन्दी विश्वविद्यालय के प्राथमिक सरोकारों में से एक यह है कि पाठ्यक्रम, पाठ्यचर्या और पाठ्यसामग्री को एक नई शताब्दी की नई चुनौतियों और प्रश्नाकुलता के अनुरूप ताजातरीन करते हुए इस क्षेत्र में नए विकल्पों को खोजा, विकसित और विन्यस्त किया जाए। तभी यह विश्वविद्यालय हिंदी अध्ययन-अध्यापन और अनुसंधान के क्षेत्रों में कुछ ठोस, प्रासंगिक और कारगर विकल्प प्रस्तुत कर सकता है।

हमारे विश्वविद्यालय ने देश और विदेश के श्रेष्ठ विशेषज्ञों से विचार-विनियम कर इस दिशा में कुछ प्रयत्न करना शुरू किया है। हमारा लक्ष्य हिंदी साहित्य, भाषा और संस्कृति को उसकी समग्रता, जटिलता और बहुलता में आलोकित करते हुए उनके नए प्रश्नों, चिंताओं और उत्सुकताओं से दो-चार होने की अपार क्षमता और उसकी वर्तमान अनेक दिशाओं का इंगित करना भी है।

चूँकि नए किस्म का पाठ्यक्रम और पाठ्यचर्या के लिए नए किस्म की पाठ्यसामग्री अनिवार्य है, इस विश्वविद्यालय ने एक अपेक्षाकृत महात्त्वाकांक्षी प्रकाशन-योजना हाथ में ली है। यह पुस्तक उसी योजना का एक हिस्सा है।

इस प्रकाशन योजना में हिंदी के प्रमुख लेखकों के प्रतिनिधि संचयनों, विविध विषयों पर आधारित संकलनों, यथा प्रेम, प्रकृति, अध्यात्म, मृत्यु और अनुपस्थिति, समाज, नदी, ऋतु विषयक कविताओं के संकलनों के साथ-साथ ऐसे लेखकों के चयन भी प्रकाशित करने की योजना है जो साहित्य की तथाकथित मुख्यधारा में कतिपय कारणों से विशेष उल्लेख न पा सके किन्तु जिनकी रचनात्मकता से परिचित होने पर हिंदी साहित्य की समझ समृद्ध ही होगी।

इनके साथ ही अनेक विशिष्ट प्रकाशनों की योजना है। बीसवीं सदी के उत्तरार्ध की हिंदी-कुल की भाषाओं (भोजपुरी, अवधी, बुंदेलखंडी, मालवी, आदि) की कविताओं का संचयन, हिंदी के आरंभिक गद्य का संचयन, मध्यकालीन काव्य का संचयन, सूफी-काव्य का संचयन, बीसवीं सदी के उत्तरार्ध की हिंदी कथा, कविता, आलोचना आदि के चयन, महत्वपूर्ण लेखकों और कृतियों के द्विभाषी संस्करण (हिंदी-उर्दू, हिंदी-अंग्रेजी, हिंदी-पोलिश, आदि) तैयार किए जा रहे हैं।

इस प्रकाशन योजना की एक विशेषता यह है कि इसके निर्माण में लोकतांत्रिक और पारदर्शी प्रक्रिया अपनाई गई है। अपने अपने क्षेत्र के विशेषज्ञों की समितियों ने प्रकाशनयोग्य सामग्री के साथ-साथ संपादकों का चुनाव भी किया है। निश्चय ही पुस्तकों में उनकी अपनी दृष्टि तो झलकती है, उसके साथ ही वे एक सामूहिक विवेकसम्मत प्रक्रिया का परिणाम भी हैं। इन्हें तैयार करते समय इस बात का ध्यान तो रखा ही गया है कि इस सामग्री

का उपयोग भारत के बाहर उन केंदों में भी किया जाना है जहाँ हिंदी पढ़ाई जा रही है। यदि ये पुस्तकें सामान्य पाठकों के अतिरिक्त हिंदी के छात्रों और शिक्षकों के लिए उपयोगी सिद्ध हुईं तो हमें संतोष होगा।

–अशोक वाजपेयी

कुलपति

प्राक्कथन

उर्दू साहित्य का देवनागरी मैं प्रस्तुतीकरण पिछले डेढ़ सौ वर्षों से लगातार हो रहा है किन्तु इसमैं एकरूपता का अभाव है। मैंने जब ग़ालिब की उर्दू कविता पर हिंदी मैं टीका लिखनी शुरू की तब मुझे यह भी लगा कि सम्भवतः देवनागरी मैं इस कार्य के लिए पर्याप्त लिपिचिह्न नहीं हैं। फलतः मैंने अपनी एक नयी लिप्यन्तरणपद्धति विकसित करने की सोची और यह निबन्ध इसी सोच का परिणाम है।

मैं महात्मा गाँधी अन्तरराष्ट्रीय हिंदी विश्वविद्यालय और केन्द्रीय हिंदी संस्थान आगरा का कृतज्ञ हूँ कि सितंबर 2002 मैं उनके द्वारा आगरा मैं 'उर्दू का देवनागरीकरण' शीर्षक से संयुक्त रूप से आयोजित राष्ट्रीय कार्यशाला मैं इस आलेख को पढ़ने की अनुमति उन्होंने दी और यह मेरे लिए सन्तोष का विषय है कि वहाँ उपस्थित विद्वन्मण्डली ने इसमैं दिये गये सुझावों पर अपनी मुहर लगायी।

मैं यह स्पष्ट कर देना चाहता हूँ कि मुक्त सॉफ़्टवेयर (=free software) समाज द्वारा विकसित 'लीनक्स' ऑपरेटिंग सिस्टम, लेटेक़ टाइपसेटिंग सिस्टम, तथा 'देवनाग', 'टीपा', 'टेक्स्टकॉम्प' जैसे पैकेजों के विना इस पुस्तक को मनोऽनुकूल ढंग् से अक्षरयोजित करना मेरे लिए सम्भव न हो पाता और वे लिपिचिह्न भी मैं न बना सकता जिनका उपयोग मैंने इसमैं किया है। इस प्रकार मेरे द्वारा प्रस्तावित 'परिवर्धित देवनागरी' पूर्णतः मुक्त सॉफ़्टवेयर समाज की निष्काम ज्ञानसेवा के नाते ही सम्भव हुई है। एतदर्थ मैं न केवल व्यक्तिगत रुप से, अपितु हिंदी समाज की ओर से भी मुक्त सॉफ़्टवेयर समाज का आभारी हूँ जिसने सम्भावना के द्वार हम सब के लिए खोले।

महात्मा गाँधी अन्तरराष्ट्रीय हिंदी विश्वविद्यालय ने इस आलेख को हिंदी भाषा और देवनागरी लिपि मैं अनुराग रखने वालों के लिए उपयोगी मान कर एक पुस्तिका के रूप मैं इस आलेख को प्रकाशित करना स्वीकार किया। इसके लिए मैं विश्वविद्यालय तथा उसके कुलपति श्री अशोक वाजपेयी, जिनका मुझ पर अहैतुक स्नेह सदा रहा है, कृतज्ञ हूँ।

विश्वविद्यालय की अभिकलन इकाई लीला के सभी सहयोगियों ने मुझे कंप्यूटर पर काम करने मैं अपना सहयोग दिया है।

इस पुस्तक को लीला द्वारा मुक्त सॉफ़्टवेयर के प्रसार हेतु अपनी योजना

के अन्तर्गत छापना लीला की प्रधान सुश्री प्रीति सिन्हा ने स्वीकार किया है। मैं उनके प्रति, और लीला के अन्य सहयोगियों के प्रति कृतज्ञ हूँ।

राष्ट्रीय आग्रहायण 26 (ईसवी 17 दिसंबर 2002) —वागीश शुक्ल

अनुक्रम

1 उर्दू लिपि और देवनागरी लिपि में क्या अन्तर है? 3

1.1 हिंदी, हिंदवी, दिहलवी, रेख़्त0, उर्दू 19

1.2 खड़ी बोली फ़ारसी के प्रभाव से उत्पन्न? 28

1.3 'हिंदी स्वनिकी' और ''अ'-लोप' 32

1.4 देवनागरी लेखन-पद्धति 40

1.5 'हलन्त' 42

2 उर्दू से देवनागरी में लिप्यन्तरण की कुछ समस्याएँ 49

2.1 उर्दू के लेख्य और उर्दू के उच्चार्य 54

2.2 'ऐन' का अक्षर 56

2.3 इज़ाफ़त का कसरा? 60

2.4 उर्दू में विसर्ग-चिह्न? 62

2.5 'एक', 'ए˘क', 'इक' और 'यक' 65

3 एक कामचलाऊ समाधान 75

3.1 समोच्चार्य भिन्नलेख्य 75

3.2 चार विशेष लिपिचिह्न 77

3.3 भिन्नोच्चार्य समलेख्य 80

3.4 इज़ाफ़त 90

4 'आना ही समझ में मेरी आता नहीं गो आये' 99

बेटियाँ के लिए

क्योंकि वे बेटियाँ हैं

उर्दू साहित्य का देवनागरी में लिपीकरण : कुछ समस्याएँ, कुछ सुझाव

बनते हैं कुछ **रियाज़** भी, इस फ़न के मुद्दई़
अशआ़र इनके ख़ूब हैं, दअ़्‌ॅवा॒य मगर ग़लत़॥ [1]

—रियाज़ ख़ैराबादी।

[1]इस आलेख में प्रारम्भ से ही काव्य-पङ्क्तियों को उद्धृत करते समय वे विशेष चिह्न अपनाये गये हैं जिनकी व्याख्या आगे खण्ड 3 में 'एक कामचलाऊ समाधान' शीर्षक के अन्तर्गत है। यदि इन विशेष लिपिचिह्नों को छोड़ कर केवल देवनागरी के प्रचलित लिपिचिह्नों के आधार पर ही शेर पढ़े जाँय तो उनके पढ़ने में साधारणतया कोई ग़लती नहीं होगी; उदाहरण के लिए 'रियाज़' को 'रियाज़', 'मुद्दई़' को 'मुद्दई', 'अशआ़र' को 'अशआर', 'दअ़्‌ॅवा॒य' को 'दावा', 'ग़लत़' को 'ग़लत' पढ़ना चाहिए।

अधिकरण 1

उर्दू लिपि और देवनागरी लिपि मैं क्या अन्तर है?

बिना है एक ही दोनौं की, कअ़˘ब0 हो कि∅ बुतख़ान0
उठा कर ख़िश्त+ए+ख़ुम हमने, वहाँ रख दी, यहाँ रख दी॥ [1]

—रियाज़ ख़ैराबादी।

'हिंदी' और 'उर्दू' एक ही भाषा के दो नाम हैं यह सर्वस्वीकृत हो या न हो, सर्वविदित अवश्य है। बात को ठीक ढंग से प्रस्तुत करने के लिए मैं एक प्रखर युवा भाषा-वैज्ञानिक का कथन सामने रख कर आगे बढ़ना चाहता हूँ।

> यद्यपि हिंदी और उर्दू दोनौं ही पश्चिमी हिंदी की एक उभयसामान्य बोली के मानकीकृत रूप हैं, ये दोनौं भाषाएँ भारत और पाकिस्तान मैं सरकारी तौर पर और लोकस्वीकृति मैं दो भिन्न भाषाएँ मानी जाती हैं। चूँकि दोनौं भाषाऔं मैं भेद का स्रोत नृजातीय, धार्मिक अथवा सांस्कृतिक नहीं है, और चूँकि वाक्य-वर्णना की दृष्टि से ये दोनौं एक ही हैं, मैं इस उभयसामान्य भाषा को हिंदी-उर्दू के नाम से पुकारती हूँ। इस पुस्तक मैं प्रतिवेदित आँकड़े मेरी अपनी बोली पर आधारित हैं जो कि दिल्ली और उत्तर प्रदेश के शहरी केन्द्रौं मैं शिक्षा-प्राप्त मध्यवर्गीयौं द्वारा बोली जाती है। [2]

---

[1] 'कअ़˘ब0' को 'काबा', 'कि∅' को 'कि', पढ़ना चाहिए।

[2] Although Hindi and Urdu are both standard forms of a common dialect of Western Hindi, the two languages are officially and popularly considered to be two distinct languages in India and Pakistan. Because the distinction

इस भाषा का भाषावैज्ञानिकों द्वारा दिया गया यह नाम नया नहीं। सम्भवतः श्री अशोक केळकर ने यह नाम सबसे पहले दिया, उन्हौंने इसे हिर्दू कहा था। उनका कहना इस भाषा-युग्म के बारे मैं क्या है, यह देख लेने से हमैं उन 'भिन्नताऔं' का कुछ आभास मिल सकेगा जिनकी ओर आयशा किदवई ने सङ्केत-मात्र किया है:

> कुल मिला कर यह, कि एक भाषातन्त्र के रूप मैं हिर्दू की कोई उल्लेखनीय सहवाचिक भिन्नताएँ नहीं हैं किन्तु इसके पास शैलियौं का एक पूरा परास है...।
>
> ...
>
> यदि हिर्दू के बारे मैं कोई अकेली बात स्पष्ट है तो वह यही है कि कुछ भी स्पष्ट नहीं है–या, कुछ कम निराशापरक ढंग से कहैं तो, हिन्दी-उर्दू की स्थिति सभी आयामौं मैं अत्यन्त जटिल है–भाषावैज्ञानिक, सामाजिक-सांस्कृतिक, और साहित्यिक; कालस्थ (ऐतिहासिक) भी, और देशस्थ (भौगोलिक) भी।[3]

इस 'जटिलता' की तह मैं जाना यहाँ अभीष्ट नहीं, किन्तु जहाँ तक 'भिन्नता' की बात है, यह तो स्पष्ट है कि एक भिन्नता अवश्य मौजूद है; उर्दू 'उर्दू लिपि' मैं लिखी जाती है, और हिंदी देवनागरी लिपि मैं। उर्दू लिपि और देवनागरी लिपि मैं प्रकटतः दो अन्तर दीखते हैं और इन्हीं को विशेष महत्त्व चर्चा मैं मिलता रहा है। ये हैं, (1) देवनागरी बायैं से दाहिने लिखी जाती है जब कि उर्दू दाहिने से बायैं, और (2) 'देवनागरी मैं जैसा लिखा जाता है वैसा ही पढ़ा जाता है', जब कि उर्दू मैं लिखे हुए को पढ़ने की अनेक सम्भावनाएँ हैं। इसी को कुछ बदल

---

between the two languages does not derive from ethnicity, religion, or culture, and because they are identical with respect to syntactic description, I refer to this common language as Hindi-Urdu. The data reported in this book is based on my own dialect, spoken by the educated middle-classes in Delhi and the urban centers in Uttar Pradesh.

— endnote 1 to Chapter 1 in XP-Adjunction in Universal Grammar *Scrambling and Binding in Hindi-Urdu* by Ayesha Kidwai; Oxford Studies in Comparative Syntax, Oxford University Press, New York, 2000

[3]The net result is that as a linguistic system Hirdu has no marked dialect variations; but it has the full gamut of styles...
If any single thing is clear about Hirdu, it is that nothing is clear—or, less pessimistically, the situation of Hindi-Urdu is enormously complex in all the dimensions—linguistic, socio-cultural, and literary; diachronic (historical) as well as diatopic (geographical).

— page 6 and 16 in Studies in Hindi-Urdu I Introduction and Word Phonology by Ashok R. Kelkar; Deccan College,Pune 1968.

कर कभी-कभी यह भी कहा जाता है कि देवनागरी एक पूर्ण लिपि है, उसमैं सभी ध्वनियौं के लिए चिह्न उपलब्ध हैं, जब कि उर्दू मैं ऐसा नहीं है।
ये अन्तर ऐसे नहीं जिनका तकनीकी दृष्टि से विशेष महत्त्व हो। 'बायैं से दाहिने' बनाम 'दाहिने से बायैं' तो कोई मुद्दा ही नहीं है, या यौं कह लैं कि मुद्रण का मुद्दा है जिससे लिप्यन्तरण का कोई सम्बन्ध नहीं है। जहाँ तक 'देवनागरी एक पूर्ण लिपि है' की बात है, इसकी सत्यहीनता इतनी प्रकट है कि इसके बारे मैं बहुत गवेषणा की आवश्यकता नहीं; जो भाषाएँ देवनागरी मैं बराबर लिखी जाती रही हैं उनमैं भी वैदिक संस्कृत से ले कर अवधी और भोजपुरी तक के उच्चारणौं को उचित अभिव्यक्ति देने के लिए विशेष ध्वनिचिह्न देवनागरी मैं जोड़ने पड़ते हैं। यह भी सच नहीं कि 'देवनागरी मैं जैसा लिखा जाता है वैसा ही पढ़ा जाता है', क्यौंकि हम लिखते **कमल** हैं किन्तु प्रचलित मानक हिंदी मैं उसका उचारण कहीं **कमल्** भी हो सकता है और (ल्+अ सहित) कहीं (जैसे कि कविता मैं) **कमल** भी।[4] इस नाते हिन्दी की कुछ प्रारम्भिक रचनाऔं मैं (उदाहरण के लिए 'परीक्षागुरु' उपन्यास मैं) 'सकता है' और 'उसका' की जगह 'सक्ता है' और 'उस्का' लिखने की प्रवृत्ति पायी जाती थी।

जहाँ तक उर्दू लिपि की बात है, उसकी कमियाँ जगजाहिर हैं और हिंदी मैं मनोरञ्जन का परम्परागत विषय रही हैं; लिखने और पढ़ने मैं कोई सम्बन्ध यदि है तो भारतीय भाषाऔं की उर्दू वर्तनी मैं वह लुप्त सा लगता है।
उर्दू साहित्य को देवनागरी मैं लिपिबद्ध करने वाले या तो 'हिंदी वाले' रहे हैं, या 'उर्दू वाले'। 'हिंदी वाले' इस पर जोर देते रहे हैं कि उर्दू मैं 'शब्दौं को तोड़-मरोड़ कर पढ़ना पड़ता है' और इस पर कोई ध्यान नहीं देते कि भाषाकाव्य की लंबी परम्परा मैं ऐसा बराबर होता आया है। दूसरी ओर 'उर्दू वाले' हिंदी का कोई शब्द शुद्ध लिखने पढ़ने या बोलने मैं अपनी तौहीन समझते हैं और प्रचलित 'ढूँढ़ना' को भी

[4]इस पर विशेष चर्चा आगे इस लेख मैं आगे 'हिंदी स्वनिकी' और ''अ'-लोप' शीर्षक के अन्तर्गत की गयी है।

अली सरदार जाफ़री [5] की तरह 'ढूण्डना' लिखना अच्छा समझते हैं। कुछ दिनौं से 'उर्दू वाले' देवनागरी की 'कमियौं' की बात करने लगे हैं। उर्दू और हिंदी के विवाद मैं हमेशा एक राजनीतिक, और प्रायः मज़हबी, रंग रहा है और अब हमारे अपने समय मैं प्रगतिशीलता ने कुछ और परतैं इस पर चढ़ा दी हैं। ताज़ातरीन उदाहरण है श्री शम्सुर्रहमान फ़ारूक़ी का यह कहना कि देवनागरी केवल ब्राह्मणौं की लिपि थी और फलतः यह निष्कर्ष निकालना कि आधुनिक भारतीय भाषाएँ, विशेषतः हिंदी, सदा से उर्दू लिपि मैं लिखी जाती रही हैं और देवनागरी मैं हिंदी लिखने का आग्रह अंग्रेज़ौं के उकसाने पर हिन्दुत्व-वादियौं ने प्रारम्भ किया। इसको थोड़ा विस्तार से समझने की ज़रूरत है।

मध्यप्रदेश प्रगतिशील लेखक संघ की ओर से प्रकाशित अनियतकालीन हिंदी पत्रिका 'वसुधा' के अङ्क 52 (अक्तूबर-दिसंबर 2001)[6] मैं श्री शम्सुर्रहमान फ़ारूक़ी का नीलाभ द्वारा लिया गया एक साक्षात्कार 'ज़ुबान तो एक ही है' शीर्षक से छपा है। इसमैं से मैं उद्धृत करता हूँ:

> नीलाभ लेकिन उर्दू और हिंदी के इस झगड़े मैं, जो आगे चल कर और बढ़ा, तो उसमैं लिपि भी एक फ़ैक्टर बन गई।
>
> शम्सुर्रहमान फ़ारूक़ी बिल्कुल बनी।
>
> नीलाभ दूसरी चीज़ यह कि अगर यह मान लैं कि अरबी और फ़ारसी का जो प्रभाव आया, जो इन्फ़्लुएंस आया वह उधर से आया, उधर से जो लोग आए तो जिस भी वजह से आए हौं, उससे वह बढ़ा तो यह सूरत पंजाबी मैं, बंगला मैं, मराठी मैं ... क्यौं नहीं नज़र आती। यहाँ क्यौं हिंदी और उर्दू दो खेमे अलग-अलग और वो भी जैसा कि आपने ताराचंद जी के हवाले से कहा कि दो मुख एक बाएँ और एक दाएँ! यह सूरत यहाँ क्यौं पैदा

[5] देवनागरी मैं यही वर्तनी प्रचलित है। मैंने प्रचलित वर्तनियौं मैं कोई परिवर्तन सामान्यतः नहीं किया है और नामौं मैं तो बिल्कुल नहीं (जब तक वे किसी उद्धृत काव्यांश मैं न हौं)। इस प्रकार यद्यपि मेरी सुझायी विधि से यह वर्तनी 'अ़ली सरदार जअ़फ़री' है, मैंने 'अली सरदार जाफ़री' ही सर्वत्र लिखा है।
इस आलेख मैं अली सरदार जाफ़री की जो भी बातैं उद्धृत हैं, उनके द्वारा सम्पादित 'दीवान+ए+ग़ालिब', मुख्यतः उसकी भूमिका, से ली गयी हैं। इसका इस समय उपलब्ध संस्करण राजकमल पेपरबैक्स मैं प्रकाशित है।

[6] यह संख्या मुखपृष्ठ के अनुसार; भीतर का विवरण इसे अङ्क 52 (अक्तूबर-दिसंबर 2001) भी कहता है और अङ्क 53 (जनवरी-मार्च 2002) भी।

हुई?

शम्सुर्रहमान फ़ारूक़ी इसमें पहली बात तो यह है कि तुलसी की कोई पांडुलिपि तो है नहीं हमारे पास। हम यह नहीं जानते कि उन्होंने लिखा भी कि नहीं इसे। ज़ुबानी ही पढ़ते रहे हों उस नाते... उस ज़माने में ज़ुबानी पढ़ने का बहुत रिवाज था। बाद में तुलसी के सौ-डेढ़ सौ बरस बाद, दो सौ बरस बाद किसी ने उसे लिखा हो, हम तो अभी नहीं कह सकते कि उन्होंने नागरी ही लिपि में लिखा हो, उन्होंने कैथी में लिखा हो, कैथी उस ज़माने में बहुत चल रही थी। कैथी को भी अंग्रेज़ों ने मरवाया था यह भी तुम जानते हो। तो पहली बात यह है कि चूँकि हमारे अपर इंडिया में, जिसको हिंदुस्तानी कहा जाता है, पुरानी हिस्ट्री में, उसमें नागरी लिपि, संस्कृत ब्राह्मण और जैन ये लोग इस्तेमाल करते थे। औरों के पास कोई लिपि थी नहीं। क्या अवधी, क्या पूर्वी, क्या भोजपुरी, क्या मागधी, क्या बुंदेलखंडी, क्या ब्रज ... इनके लिए कोई लिपि तो थी नहीं। तो जब कभी लिखने की ज़रूरत पड़ी तो जिसको जो अच्छा लगा उसी में लिख दिया उन्होंने। मसलन जायसी ने इसको हिंदी कहा है, कहा है कि मैं हिंदी में लिख रहा हूँ। लेकिन उनकी लिपि तो सोकॉल्ड फ़ारसी है। तो चूँकि लिपि का भाषा के साथ कोई वाइटल संबन्ध है नहीं, जैसा कि तुमने खुद कहा, तो इसकी कोई ज़रूरत है नहीं, लेकिन जब उसमें साहित्य पैदा होने लगता है और साहित्य को लोग लिखने पर आ जाते हैं तो फिर सोचते हैं कि क्या लिपि इस्तेमाल की जाये। अच्छा, अब यह जो सोकॉल्ड फ़ारसी लिपि है, यह सबके लिए अवेलेबुल है, कॉमनली। हिंदू हो, मुसलमान हो, कोई ज़ात है, कोई मज़हब है, कहीं भी है, अपना लिखो भाई। तो इसलिए यह आसान पाया गया कि इसमें लिखा जाये। मराठी भी शुरू-शुरू में इसमें लिखी गयी। मराठी, बंगाली, पंजाबी, सब इस लिपि में लिखी जाती रही हैं, सिंधी तो लिखी ही जाती है

इसमैं। इन सब मैं जहाँ-जहाँ, जैसे कि हमारे और तुम्हारे ज़माने मैं अंग्रेज़ौं ने नॉर्थ-ईस्ट मैं जहाँ कि बहुत सी ज़ुबानैं बड़ी-बड़ी पाई जाती हैं, लेकिन उनकी कोई लिपि नहीं है, उन सबको उन्हौंने रोमन लिपि मैं ठूँस दिया। लिखी जा रही हैं, जितनी भी हैं, अंगामी है, और ज़ुबानैं हैं, नागा है, मीज़ो है— ये सब-की-सब जो ज़ुबानैं हैं, वो रोमन मैं लिखी जा रही हैं क्यौंकि आज से पचास-सौ बरस पहले तक इनके यहाँ लिपि नहीं थी। जब इनको लिपि लिखने का प्रॉब्लम आया तो उन्हौंने कहा कि रोमन सीख लीजिए तो जहाँ पर लिपि नहीं हो कोई, वहाँ पर वह लिपि सिखा दी जाती है जो आसान हो या जो प्रचलित अधिक हो। तो इसलिए मराठी मैं या पंजाबी मैं या सिंधी मैं कश्मीरी मैं, पश्तो मैं यह झगड़ा इसलिए [7] उठा कि यह तो ज़रूरत की चीज़ थी जो अपना ली गई। यहाँ पर, हिंदुस्तान जिसे कह रहे हो, यहाँ तो वह लिपि चल रही है। जिसको तुम चाहे फ़ारसी कहो, चाहे अरबी कहो, चाहे कोई नाम दो, चल रही है। और जो सबके लिए ओपेन है। यानी नागरी के बरख़िलाफ़ जो कि बहुत ही कम लोगौं के लिए ओपेन है, यह सबके लिए ओपेन है। तो उसके होते हुए जब एक लिपि और आप लाइएगा तो फिर झगड़ा पैदा होगा। अच्छा, और यह तुमको सुन कर ताज्जुब हो कि इस झगड़े को शुरू से ही धर्म पर रखा गया। राजेंद्र लाल मित्तर ने तो साफ़ लिखा, बंगाल के जो बहुत बड़े मॉडर्न राइटर थे, जो बहुत बड़े हिंदुत्व के आइडिया के बहुत ही पुराने चलाने वाले थे, उन्हौंने साफ़ लिखा कि साहब, यह तो धर्म का मामला है। हम हिंदू हैं। हमारी धार्मिक लिपि तो नागरी है। और फिर उसमैं भारतेन्दु जैसा आदमी जो कि डिक्लेयर कर रहा है कि मेरी और मेरे घर वालौं की बोली उर्दू है, जो कह रहा है कि

[7] यहाँ शायद 'नहीं' कहा होगा जो छपने से रह गया है। मैंने जैसा छपा है वैसा उद्धृत कर दिया है।

> मुझे यह बनारस वालौं की पूर्वी समझ मैं नहीं आती, वह 1882 मैं एजुकेशन कमीशन मैं कहता है कि साहब ये सब चमत्कार तो मुसलमानौं के फैलाये हुए हैं लोगौं को बेवकूफ़ बनाने के लिए। लिखते बीस हैं, पढ़ते तीस हैं। लिखते किस हैं, पढ़ते हैं कस। इस तरह से करने के लिए उन्हौंने कर रखा है और उन्हौंने लिखा है कि हर मैजिस्टी की गवर्नमेंट से मेरी यह दरख़्वास्त है कि कि इस पर गौर करैं क्यौंकि यह हमारे धर्म का मामला है। **तो जिस तरह से धर्म की बुनियाद पर ज़ुबान उन्हौंने बनाई, अंग्रेज़ ने बनाई, उसी तरह से धर्म की बुनियाद पर लिपि का भी उन्हौंने शुरू किया कि यह बाहर की लिपि है।** अरे भाई, अंग्रेज़ की लिपि कोई उनके घर से आई है? अंग्रेज़ी की लिपि तो रोमन लिपि है न। लैटिन से ली गई है, फ़्रेंच की लिपि लैटिन से ली गयी है तो लिपि तो वह चीज़ होती है जो कन्वीनिऐंस के लिए प्रचलित होने की बिना पर और किसी वजह की बिना पर उसको एडॉप्ट कर लिया जाता है, भाषा की कोई जान उसमैं नहीं है। यहाँ पर हिस्टॉरिकली बड़ी आग उसमैं भर दी गयी है लेकिन सही माने मैं यह है कि जान कुछ नहीं है। लिपि से कोई फ़र्क़ नहीं पड़ता है। फ़र्क़ तब पड़ जाता है जैसे कि अब पड़ेगा।...
>
> ...
>
> कोई स्टैंडर्डाइज़्ड हिंदी तो है नहीं। तो एक वैक्युअम था। उस वैक्युअम मैं ला कर तुमने डाल दिया एक लिपि कि यह लो। तो यह जो प्रॉब्लम पैदा हुआ तो इसलिए पैदा हुआ कि खाली जगह को भरने के लिए लिपि को डाल दिया था।
> [8]

इस उद्धरण मैं बहुत सी बातैं कही गयी हैं। इंटरव्यू बड़ा है, उसमैं कुछ और बातैं भी हैं। आँकड़े, जो कि नगण्य हैं, सब के सब क्रिस्टोफ़र

[8]इस उद्धरण मैं मैंने कुछ अंशौं को बड़े टाइप मैं लिखा है ताकि उनकी तरफ़ ध्यान आसानी से आकृष्ट हो सके।

किंग [9] और रॉबिंसॅन [10] की किताबौं से लिये गये हैं। ये किताबैं अंग्रेज़ इतिहासकारौं के 'नवसाम्राज्यवादी इतिहास-लेखन' के अन्तर्गत आयी थीं जिसके सिलसिले मैं भारत-पाकिस्तान विभाजन, काश्मीर-समस्या, और भारतीय स्वतंत्रता-आन्दोलन आदि पर बहुत सी पुस्तकैं इधर दस पंद्रह सालौं मैं छापी गयीं हैं। मोटे तौर पर यह इतिहास-लेखन यह साबित करता रहता है कि जिन्ना साहब ठीक ही कहते थे कि कांग्रेस एक हिंदूवादी पार्टी है और गाँधी एक हिंदू लीडर है। इसी सिलसिले मैं यह भी बताया जाता रहता है कि न तो हिंदू कोई चीज़ थी न हिंदी। इस इतिहास-लेखन का चर्बा वसुधा डालमियाँ और ज्ञानेन्द्र पाण्डेय जैसे कुछ भारतीय लेखकौं मैं भी उपलब्ध है। उन सब बातौं मैं कौन सी सही हैं, कौन सी आधी सही हैं, और कौन सी बिलकुल झूठी हैं, इनका लेखा करना यहाँ अभीष्ट नहीं। मैं केवल लिपि के बारे मैं कुछ कहूँगा।

जहाँ तक कैथी या मुड़िया की बात है, ये लिपियाँ नहीं, केवल देवनागरी को सीमित व्यवहार के लिए लिखने की कामचलाऊ विधियाँ हैं। यदि कैथी इस नाते विकसित हुई कि देवनागरी सबके लिए ओपेन नहीं थी, तो फिर कहना पड़ेगा कि शिकस्ता इसलिए विकसित हुई कि नस्तालीक़ सबके लिए ओपेन नहीं थी।
इस तरह की बातैं क्रिस्टोफर किंग करता है तो बात समझ मैं आती है; उसका एक अजेंडा है। क्या वही अजेंडा हमारा भी होना चाहिए? क्या हमैं ऐसे अजेंडे के अनुसार काम करना चाहिए?
'शिकस्ता' नस्तालीक़ से शीघ्रलेखन के लिए विकसित हुई थी। 'कैथी' देवनागरी से शीघ्रलेखन के लिए विकसित हुई थी। महाराष्ट्र मैं 'मोड़ी' देवनागरी से शीघ्रलेखन के लिए विकसित हुई थी।
और मुड़िया देवनागरी से शीघ्रलेखन के लिए विकसित हुई थी। 'टाकरी' शारदा लिपि से शीघ्रलेखन के लिए विकसित हुई थी।
इन सब बातौं का 'उपलब्धता' से कोई सम्बन्ध नहीं।

कैथी मैं देवनागरी से यह अन्तर है कि कैथी मैं शिरोरेखा नहीं होती, और ऋ, ऌ, ण जैसे कुछ वर्ण, जिनका इस्तेमाल अवधी

[9] One Language, Two Scripts; Oxford 1994.
[10] Separation among Indian Muslims; Cambridge 1974.

और भोजपुरी मेँ नहीँ होता, नहीँ होते। इसे 'सरलीकृत देवनागरी' के अतिरिक्त कुछ नहीँ कहा जा सकता।

कैथी और मुड़िया के बारे मेँ स्वर्गीय डॉ बाबूराम सक्सेना ने 1938 मेँ बताया है:

> आजकल अवधी केवल एक गाँव से दूसरे गाँव के बीच छोटे-छोटे सन्देश भेजने के लिए लिपिबद्ध की जाती है। ऐसे अवसरोँ पर कैथी लिपि प्रयुक्त होती है। बनिया अपना हिसाब हुण्डीवाली (मुड़िया) मेँ लिखते हैँ। ये देवनागरी के ही, सुविधा के लिए बने, लिपि-रूप हैँ। शिक्षित वर्ग या तो फ़ारसी या देवनागरी लिपि का प्रयोग करता है।[11]

इस उद्धरण मेँ 'शिक्षित वर्ग' महत्त्वपूर्ण है। इससे आशय औपचारिक शिक्षा-पद्धति, अंग्रेज़ोँ द्वारा स्थापित किये गये विद्यालयोँ, मेँ शिक्षा-प्राप्त वर्ग से है। इस वर्ग को फ़ारसी लिपि तो अपने-आप आ जाती थी क्योँकि उस समय तक, और उसके बाद भी कुछ दिनोँ तक, उत्तर प्रदेश मेँ विना फ़ारसी लिपि सीखे कोई अंग्रेज़ोँ द्वारा स्थापित किये गये विद्यालयोँ से उत्तीर्ण नहीँ हो सकता था।

भारत मेँ कोई महावाचना (Grand Narrative) नहीँ थी। महावाचनाएँ मध्यकाल मेँ प्रारम्भ हुईँ। 'पढ़ैँ फ़ारसी, बेचैँ तेल' का मुहावरा बना; 'पढ़ैँ संस्कृत, बेचैँ तेल' का कोई मुहावरा कभी नहीँ बन पाया था। महावाचनाएँ अंग्रेज़ोँ के शासन-काल मेँ दृढतर और स्वतन्त्रता-प्राप्ति के बाद दृढतम हुईँ। मुड़िया मेँ हिसाब लिखने का 'अकाउंट्स मेंटेन करने' से क्या तालमेल बैठ सकता है?

फ़ारसी लिपि की भी एक 'कैथी' थी; उसका नाम 'शिकस्ता' है। उसे किसने 'मरवाया'?

फ़ारसी लिपि की भी एक 'मुड़िया' थी; उसका नाम 'सियाक़' है। उसे किसने 'मरवाया'?

यौँ तो मंसूर हल्लाज भी भारत आया था किन्तु सच यह है कि सूफ़ी भारत मेँ मुहम्मद ग़ोरी के आक्रमण के बाद जमे। अवधी और भोजपुरी

[11]अवधी का विकास, डॉ बाबूराम सक्सेना, हिन्दुस्तानी अकेडेमी द्वारा (मूल अंग्रेज़ी ग्रन्थ का हिंदी अनुवाद) 1972 मेँ प्रकाशित; पृ 17।

की एकभूत प्रारम्भिक भाषा का विवरणात्मक व्याकरण 'उक्ति-व्यक्ति-प्रकरण' नाम से संस्कृत में महाराज गोविन्द चन्द्र के समय में मुहम्मद ग़ोरी के आक्रमण के दो पीढ़ी पूर्व ही दामोदर पण्डित ने लिखा था। यह तो फ़ारसी लिपि में नहीं था। और क्या यों ही किसी भाषा का व्याकरण लिखा जाता है? क्या व्याकरण लिखने के पूर्व उस भाषा में कुछ व्यवहारात्मक महत्त्व, कुछ साहित्यिक महत्त्व का होना एक सार्वदेशिक नियम नहीं है?

सूफ़ी कवियों ने अवधी को यदि फ़ारसी लिपि में लिखा तो यह उनका अपना चुनाव था। किन्तु यदि मुल्ला दाऊद ने अवधी में 'चंदायन' सन 1370 में लिखी है तो लखमसेन ने अवधी में 'महाभारत' सन 1424 में लिखा है और विष्णुदास ने अवधी में 'स्वर्गारोहण की कथा' सन 1435 में लिखी है, भीम कवि ने अवधी में 'डंगवै कथा' सन 1493 में लिखी है और ईश्वरदास ने अवधी में 'स्वर्गारोहण कथा' सन 1500 में लिखी है।

क्या ये पुस्तकें कैथी, अर्थात् अवधी के लिए सरलीकृत देवनागरी, में इसलिए लिखी जा सकीं कि सूफ़ी कवियों की फ़ारसी रचनाएँ देख कर 'हिंदुत्व के आइडिया के बहुत ही पुराने चलाने वाले' कवियों ने देवनागरी में इस उद्देश्य से लिखना शुरू कर दिया था कि ये रचनाएँ जब खोज में मिलें तो यह कहा जा सके कि 'हम हिंदू हैं। हमारी धार्मिक लिपि तो नागरी है।'? यदि ऐसा ही है तो 'नागरी-प्रचारिणी सभा' चार सौ वर्ष पहले ही बन चुकी थी और अंग्रेज़ों का उसमें कोई योगदान नहीं है।

बंगाली होते हुए राजेन्द्र लाल मित्र ने देवनागरी का समर्थन क्यों किया, बंगाली लिपि का क्यों नहीं?

बंगाली होते हुए केशव चन्द्र सेन ने गुजराती-भाषी स्वामी दयानन्द सरस्वती को 'सत्यार्थ प्रकाश' हिंदी में लिखने की सलाह क्यों दी?

क्या भोजपुरी बोलने वाले सन्त कबीर और मराठी बोलने वाले सन्त नामदेव के शिष्यों ने उनकी रचनाएँ फ़ारसी में लिपिबद्ध की थीं?

'गीता' पर 'ज्ञानेश्वरी' फ़ारसी लिपि में क्यों नहीं लिखी गयी?

सूफ़ी कवियों की रचनाएँ उनके काव्य-सौन्दर्य के नाते नहीं सुरक्षित रही हैं, वे इस नाते सुरक्षित रही हैं कि सूफ़ियों का एक देशव्यापी

राजतंत्र-समर्थित संगठन था और उन रचनाओं को मस्जिदों मैं प्रवचन के लिए इस्तेमाल किया जाता था। 'पदमावत' की प्रतियाँ ख़ानक़ाहों मैं मिलती हैं, काव्यप्रेमियों के पुस्तक-संग्रहों मैं नहीं। ऐसा कोई देशव्यापी राजतंत्र-समर्थित संरक्षण अवधी के अन्य कवियों को प्राप्त न था, छोटे बड़े राजाओं जागीरदारों की काव्यरुचि के भरोसे ही ये काव्यकृतियाँ रची गयीं और बच सकीं। इससे यह कैसे कहा जा सकता है कि अवधी फ़ारसी मैं लिखी जाती थी क्योंकि उसके लिखने को देवनागरी ओपेन नहीं थी?

इसमैं हिंदू-मुसलमान का भी सवाल न था। अब्दुर्रहमान का 'सन्देश-रासक' अपभ्रंश का काव्य है, और देवनागरी मैं उसकी प्रतियाँ हैं। बिल्ग्राम के कई मुसलमान कवि देवनागरी मैं भी लिखते थे। जायसी के 'पदमावत' की भी प्रतियाँ कैथी, अर्थात् अवधी के लिए सरलीकृत देवनागरी, मैं थीं।

जहाँ तक लिपियों को 'मरवाने' की बात है, इनके उदाहरण भारतीय इतिहास मैं नहीं हैं। हम सब जानते हैं कि भाषाओं और लिपियों को 'मरवाने' के उदाहरण किन इतिहासों मैं हैं; वे जिन इतिहासों मैं हैं उनका उल्लेख यहाँ बात को अनावश्यक मोड़ देगा और मैं इस चर्चा को यहीं रोकता हूँ।

जहाँ तक अंग्रेज़ों की बात है, गिल्क्राइस्ट ने यह प्रस्ताव किया ज़रूर था कि रोमन मैं सभी भारतीय भाषाएँ लिखी जाँय लेकिन शायद अक्षमता और सीमितता ही इस प्रस्ताव को 'इंटरनेशनल फोनेटिक अल्फ़ाबेट' से भिन्न करती हैं। अगर प्रश्न यह हो कि अंग्रेज़ों की देवनागरी और उर्दू लिपियों के प्रति क्या सोच थी तो इसका उत्तर शायद इस उद्धरण से ही मिल जायगा:

> सात जुलाई 1801 को काउंसिल मैं यह निर्णय लिया गया कि कि कुतुब अली को सौ रूपये महीने पर फ़ारसी लिपि सिखाने के लिए और सुन्दर पण्डित को बीस रूपये महीने पर नागरी लिपि सिखाने के लिए रख लिया जाय।[12]

बीस और सौ का यह अनुपात देवनागरी और उर्दू के बीच अंग्रेज़ों ने अपने पूरे शासनकाल मैं क़ाइम रखा।

देवनागरी हमैं आठवीं-नवीं शताब्दी से दक्षिण मैं और दसवीं-

[12]At a Council held on the 7th July 1801, it was resolved ... that Kutub Ulee be appointed Writing Master in the Persian character, at a salary of Rs. 100 per month; and Soonder Pandit as Writing Master in the Nagree character, at Rs. 20 per month.

—Origins of Hindustani Literature by M. Atique Siddiqi, Naya Kitab Ghara, Aligarh 1962; page 105

ग्यारहवीं तक सम्पूर्ण भारत में मिलने लगती है। इसके पूर्व की प्रमुख लिपि सिद्धमातृका थी जिससे उद्भूत शारदा लिपि को हटा कर काश्मीर में फ़ारसी लिपि ने पाँव जमाये। अल्बरूनी ने देवनागरी और शारदा लिपियों का उल्लेख अपने ग्रन्थ में भारत की प्रमुख लिपियों के रूप में किया है।

मराठी का सबसे पुराना ताम्रपत्र 1060 ईसवी का माना जाता है। यह देवनागरी में है। सरहपा के 'दोहाकोश' की तिब्बत से प्राप्त प्रति दसवीं शताब्दी की लिखी गयी मानी जाती है। इसी समय के आस-पास से मेवाड़ से ले कर त्रिपुरा तक, केरल से ले कर कन्नौज तक, जो भी ताम्रलेख या शिलालेख मिलते हैं, अधिकतर देवनागरी में हैं।

महमूद ग़ज़नवी ने जो सिक्के लाहौर में ढलवाये हैं उनमें एक ओर देवनागरी लिपि (और संस्कृत भाषा) में भी उसका नाम लिखवाने की ज़रूरत महसूस की गयी थी। सिक्कों पर देवनागरी मुहम्मद ग़ोरी, अलाउद्दीन ख़लजी, शेरशाह सूरी और मुग़ल सम्राट् अकबर तक मिलती है।

देवनागरी में संस्कृत, पाली, प्राकृत, अपभ्रंश से लेकर पुरानी असमिया का साहित्य, सारा डिंगल साहित्य, सारा ब्रजभाषा साहित्य, सूफ़ियों द्वारा न लिखा गया सारा अवधी साहित्य, लिखा जाता रहा है।

फ़ारसी भाषा और लिपि का व्यापक प्रचार-प्रसार अकबर के वित्तमन्त्री टोडरमल के उस राजकीय आदेश से प्रारम्भ हुआ जिसके अनुसार सरकारी दफ़्तरों में लिखापढ़ी केवल फ़ारसी में होनी थी; इसके पहले सरकारी दफ़्तरों में लिखापढ़ी स्थानीय भाषा और लिपि में होती थी। टोडरमल के पहले भारत में कोई 'ऑफ़िशियल लैंगुएज पॉलिसी' नहीं थी। यों तो भारत में कोई सांस्कृतिक हस्ताक्षर पूरी तरह से मरा नहीं, अधिक-से-अधिक यह हुआ है कि वह रूप-परिवर्तन करके रह गया है, किन्तु यदि भाषाओं और लिपियों को 'मरवाने' की कोई कोशिश हुई है तो वह पहली बार टोडरमल ने ही की थी, अंग्रेज़ों ने नहीं।

और यदि अंग्रेज़ों ने अपनी लिपि रोमन मान ली तो पूछना चाहिए

कि क्यौं मान ली? रोमन लिपि और लैटिन भाषा का प्रसार-प्रचार रोमन कैथोलिक चर्च के विस्तार से जुड़ा हुआ है, जिसने सम्राट् कांस्टन्टीन की उदारता से लाभ उठाते हुए रोमन साम्राज्य मैं पैर पसारने प्रारम्भ किये और कोई सत्तर अस्सी साल मैं सम्राट् थिओडोसिअस प्रथम (Theodosius I; 379-395) के समय से सक्रिय सैनिक सहायता अपने लिए उपलब्ध करा ली थी जिसके सहारे पेगनौं को बलात् ईसाई बनाने और सामूहिक धर्म-परिवर्तन द्वारा 'धर्म का प्रचार' प्रारम्भ किया गया। यही अरबी भाषा और अरबी लिपि के विस्तार की भी कहानी है जिसे सक्रिय सैनिक सहायता प्रारम्भ से ही उपलब्ध थी।
अगर तुलसी के हाथ की लिखी 'रामचरितमानस' नहीं मिलती तो क्या जायसी के हाथ की लिखी 'पदमावत' मिलती है?
क्या 'चंदायन' की मुल्ला दाऊद के हाथ की लिखी प्रति मिलती है?

देवनागरी-आन्दोलन कचहरी मैं देवनागरी अक्षरौं के प्रयोग को सरकारी मान्यता दिलाने के लिए था। यह सरकारी मान्यता 1900 मैं मिली। इससे अधिक अंग्रेज सरकार के स्तर पर इस आन्दोलन का कोई असर नहीं पड़ा। 'कचहरी मैं देवनागरी' से लाभ सामान्य जन को था, हानि उनकी थी जिनके महत्त्व और औचित्य का बड़ा हिस्सा शिकस्ता उर्दू मैं काग़ज़ात लिखने-पढ़ने पर निर्भर था। इसमैं धार्मिक व्यवहार से कुछ मुसलमान थे, कुछ हिंदू थे। इससे यह कैसे साबित होता है कि उनकी 'भाषा' उर्दू थी?
न्यायालय का काम बहुत दिनौं तक उर्दू मैं चलता रहा। अभी हाल तक उत्तर प्रदेश मैं पी सी एस जुडीशियल का इम्तिहान पास करने के लिए उर्दू का परचा पास करना ज़रूरी था। क्या उत्तर प्रदेश मैं न्यायाधीश की 'भाषा' अपने आप उर्दू हो जाती थी?
आज भारत सरकार का सारा कामकाज अंग्रेज़ी मैं होता है। यह कामकाज करने वाले सरकारी हाकिम हिंदू भी हैं, मुसलमान भी, उत्तर-भारतीय भी और दक्षिण-भारतीय भी। इनमैं से इक्का दुक्का ही कोई किसी भारतीय भाषा मैं दफ़्तरी चिट्ठी लिखने मैं समर्थ है। क्या इन सब हाकिमौं की 'भाषा' अंग्रेज़ी है?
सम्पूर्ण भारत मैं विज्ञान की उच्च शिक्षा का माध्यम अंग्रेज़ी है। क्या सम्पूर्ण

भारत के विश्वविद्यालय स्तर के विज्ञान-अध्यापकों की 'भाषा' अंग्रेज़ी है?

भारतीय सन्दर्भ में सामान्य हित की कम ही बातें धार्मिक मुहावरों से मुक्त रही हैं। तथाकथित 'नवजागरण', और 1857 के स्वतन्त्रता-सङ्ग्राम से ले कर गाँधी जी के सत्याग्रह तक विना किसी धार्मिक मुहावरे के नहीं कहे गये। निश्चय ही देवनागरी-आन्दोलन के साथ धार्मिक मुहावरे इस्तेमाल किये गये। किन्तु जब 1837 में कंपनी ने बंगाल में फ़ारसी भाषा का एकाधिकार समाप्त करते हुए उसके साथ-साथ (1) फ़ारसी लिपि या देवनागरी लिपि में हिंदू में भी, और (2) बंगाली लिपि में लिखी बंगाली भाषा में भी जनता को सरकारी कचहरी में काग़ज़ दाखिल करने की अनुमति दी थी, तो इस्लाम को कौन सा ख़तरा पैदा हुआ जिसके नाते इसे 'इस्लाम के ख़िलाफ़ साज़िश' बताते हुए इतनी हायतौबा मची और यह आदेश वापस लेना पड़ा?
धार्मिक मुहावरे का इस्तेमाल (use of religious phraseology) और धार्मिक सीमाङ्कन (drawing a religious boundary) में अन्तर नहीं किया जायगा तो वही गड़बड़ियाँ पैदा होंगी जो पश्चिमी इतिहास -लेखक पैदा करते रहे हैं और जिनके कार्यक्रम के अन्तर्गत किंग, रॉबिंसॅन, वसुधा डालमियाँ या ज्ञानेन्द्र पाण्डेय की किताबें आयीं हैं।

ज़ौक़ का शेर है:

ख़त् बढ़ा, काकुल बढ़ी, ज़ुल्फ़ें बढ़ीं, गेसू बढ़े
हुस्न की सरकार में, जितने बढ़े हिंदू बढ़े॥ [13]

इसमें 'ख़त', 'काकुल', 'ज़ुल्फ़', और 'गेसू', ये चारों चीज़ें इसलिए 'हिंदू' कही गयी हैं कि ये चारों चीज़ें काले रंग की हैं और 'हिंदू' काले रंग का होता है। यह फ़ारसी की काव्यरूढि है कि 'हिंदू' का अर्थ 'काला' और 'रूमी' का अर्थ 'गोरा' होता है। क्या ज़ौक़ के इस शेर को हम उनके 'साम्प्रदायिक' होने का प्रमाण मानें?

13. 'ख़त्' को 'ख़त' और 'हुस्न' को 'हुस्न' पढ़ना चाहिए।

मिर्ज़ा ग़ालिब ने फ़ारसी में एक क़सीदा लिखा है जिसमें अंग्रेज़ों के द्वारा पंजाब पर आक्रमण को 'जिहाद' बताया गया है और यह कहा गया है कि 'मैं भी काफ़िरों के ख़िलाफ़ इस लड़ाई में शामिल होना चाहता हूँ'। क्या ग़ालिब के इस क़सीदे को हम उनके 'साम्प्रदायिक' होने का प्रमाण मानें?
मिर्ज़ा ग़ालिब की पङ्क्तियाँ है:

> मुसलमानों के मेले का हुआ कुल्ल
> पुजे है 'जोगमाया' और 'देबी'
> निशाँ बाक़ी नहीं है सल्तनत का
>
> मगर हाँ, नाम को 'औरंगज़ेबी'!!

क्या इसका अर्थ यह है कि ग़ालिब शोकमग्न हैं कि हाय न हुआ औरंगज़ेब नहीं तो आज दिल्ली का योगमाया मन्दिर ध्वस्त करवा दिया होता?
इस तरह न साहित्य पढ़ा जा सकता है न ही सामुदायिक सम्बन्ध (= community relations) समझे जा सकते हैं।

धार्मिक मुहावरे का इस्तेमाल हिंदी-उर्दू झगड़े में दोनों ओर से कस कर हुआ था। इसे धार्मिक सीमाङ्कन के रूप में पढ़ कर पहले ही, फ़ारूक़ी साहब के शब्दों का प्रयोग करें तो, 'हिस्टॉरिकली बड़ी आग उसमें भर दी गयी है'। इससे कटुताएँ निश्चय ही पैदा हुई हैं और उनमें बढ़ोतरी ही होती रहेगी जब तक साम्राज्यवादी-मार्क्सवादी गठबन्धन का एकाधिकार भारतीय इतिहास-लेखन पर से समाप्त नहीं होता क्योंकि यह सारा खेल ही आग लगाने का है।

लिपि की जिसको जैसी जानकारी थी, लिखता था। सूफ़ियों के सन्दर्भ में यह सक्रिय धर्म-प्रचार से भी जुड़ा था। इससे यह कहाँ साबित होता है कि अवधी, व्रज, और बुंदेलखंडी के लिए कोई लिपि ही नहीं उपलब्ध थी। क्या 'सूरसागर' फ़ारसी लिपि में लिखा गया है?
ये और ऐसे ही कई प्रश्न फ़ारूक़ी साहब की इन बातों के सिलसिले में पूछे जा सकते हैं।
फ़ारूक़ी साहब अन्यत्र भी यही बातें कुछ और राजनीतिक ध्वनियों के साथ कह चुके हैं:

> चूँकि उत्तर भारत में देवनागरी लिपि शायद केवल ब्राह्मणों के लिए उपलब्ध थी, इसलिए कायस्थों ने ब्राह्मणों से पंद्रहवीं सदी में

> अलग होने के बाद अपनी एक देवनागरी-आधारित लिपि क्रमशः विकसित की और उसे कैथी नाम दिया। यह भारत के कई भागों में उन्नीसवीं सदी के लंबे हिस्से तक जीवित रही।
> एक लोकप्रिय, सबके द्वारा प्रयुक्त और स्वीकार्य लिपि के अभाव में विकासशील उत्तरभारतीय भाषाओं का अधिकांश साहित्य निश्चय ही मौखिक रहा होगा। हिंदी/हिंदवी/दिहलवी भाग्यशाली थी कि उसे प्रारम्भ से ही फ़ारसी लिपि उपलब्ध थी क्योंकि [इस] भाषा का सबसे पहले साहित्यिक उपयोग मुसलमानों ने किया, जिनमें अधिकतर सूफ़ी थे या, ख़ुसरो की तरह, सूफ़ी ख़ानक़ाहों से अनुयायियों अथवा शिष्यों के रूप में सम्बद्ध थे।[14]

यह उद्धरण मैंने फ़ारूक़ी साहब के निबन्ध Aspects of Early Urdu Literary Culture and History से लिया। इस निबन्ध को प्रकाशन से पहले फ़ारूक़ी साहब ने मुझे उपलब्ध कराया था। जहाँ तक मैं जानता हूँ, यह निबन्ध अब छप चुका है, किन्तु मैंने प्रकाशित रूप देखा नहीं है।

इस उद्धरण में आयी बातों के बारे में मैं कुछ कह चुका हूँ। पंद्रहवीं सदी में कायस्थ किस प्रकार ब्राह्मणों से अलग हुए यह मुझे नहीं पता। जाति-विभाजन में जिस हद तक कायस्थ एक जाति के रूप में अन्य जातियों से भिन्न थे उसी तरह वे ब्राह्मण जाति से भी भिन्न थे; और यह पंद्रहवीं सदी के पहले भी वैसा ही था जैसा वह पंद्रहवीं सदी के बाद रहा। जिस धार्मिक समाज को 'हिंदू समाज' के नाम से जाना जाता है, उसमें कायस्थ पंद्रहवीं सदी के पहले भी उतने ही थे जितने वे पंद्रहवीं सदी के बाद हैं।

मिथिला में एक लिपि चलती थी 'मैथिली'। इसमें संस्कृत भी लिखी जाती थी, मैथिली तो ख़ैर लिखी ही जाती थी। यह मैथिल ब्राह्मणों की

[14]Since in the north, the Nagari script was available perhaps only to the Brahmins, the Kayasthas, after breaking away from the Brahmins in the fifteenth century, gradually developed a nagari-based script of their own, and called it Kaithi. It survived in many parts of India until well into the nineteenth century.
On account of the non-availability of a popular, universally utilized and acceptable script, most of the literatures produced in the developing North Indian languages must have been oral. Hindi/Hindavi/Dihlavi was lucky to have the Persian Script available for it right from beginning, because the earliest literary use of the language was made by the Muslims, most of whom were sufis, or like Khusrau, were attached to sufi houses as followers or disciples.

लिपि मानी जाती है।

मैथिल ब्राह्मणौं ने 'ब्राह्मणौं' से किस सदी मैं 'अलग होने के बाद अपनी एक देवनागरी-आधारित लिपि क्रमशः विकसित की और उसे' मैथिली 'नाम दिया'?

इस तरह की बातौं का प्रयोजन क्या है?

हिंदी/हिंदवी/दिहलवी/ कह कर फ़ारूक़ी साहब जो इन तीन नामौं की एकवाचिता सिद्ध करना चाहते हैं वह ज़रूर ग़ौरतलब है और मैं इस पर कुछ कहना चाहता हूँ।

1.1 हिंदी, हिंदवी, दिहलवी, रेख़्त0, उर्दू

'हिंदवी', या 'हिंदुई' का अर्थ है ' "हिंदू" की भाषा'। इसका प्रयोग सभी भारतीय भाषाऔं के लिए अपने को फ़ारसी-भाषी बताने वाले लोग करते थे और इसमैं पंजाबी, गुजराती, अवधी, तेलगू, सब शामिल थीं।

'हिंदी' का अर्थ है ' "हिंद मैं रहने वाले" की भाषा'। बहुत दिनौं तक इसका प्रयोग उसी अर्थ मैं होता था जिस अर्थ मैं 'हिंदुई' का, बाद मैं मीर और ग़ालिब जैसे कुछ कवियौं ने इसे उस अर्थ मैं भी इस्तेमाल किया जिस अर्थ मैं 'हिंदी-उर्दू' का प्रयोग भाषावैज्ञानिक करते हैं। किन्तु यह प्रयोग अपने चरित्र मैं मसऊद साद सलमान, या अमीर ख़ुसरो के प्रयोगौं से बहुत भिन्न नहीं; इसका आशय यही था कि यद्यपि भाषा मेरी फ़ारसी है, लेकिन मैं हिंदी मैं भी बहुत अच्छी कविता करता हूँ। 'हिंदी' मैं, जैसे कि 'हिंदुई' मैं, पंजाबी, गुजराती, अवधी, तेलगू, सब शामिल थीं। 'हिंद मैं रहने वाले' मुसलमान भी ' "हिंदू" की भाषा' बोलते थे, वह 'हिंदी' थी। मुहम्मद क़ुली शाह लिखता है:

> नबी सदक़े कुतुबशह साँवली सौं। बचन हिंदी सौं बोले 'एम्म रे एम'॥

यह 'एम्म रे एम = क्या रे क्या?' तेलगू का शब्द है और इसे 'हिंदी' का शब्द बताया गया है।

फिर भी 'हिंदी = हिंद मैं रहने वाले की भाषा' और 'हिंदुई = हिंदू की भाषा' मैं भ्रम कभी पूरा मिट नहीं पाया। यह अंग्रेज़ौं की देन नहीं।

मुहम्मद शाह रँगीले के समय दिल्ली से दूर आज़मगढ़ में बैठे कवि नूर मुहम्मद अपनी अवधी काव्य-रचना 'अनुराग बाँसुरी' में लिखते हैं:

हिंदू मग पर पाँव न राख्यौं। का जो बहुतै हिंदी भाख्यौं॥

'हिंदी भाखना' और 'हिंदू मग पर पाँव रखना' में एक ऐसी निकटता समझी जाती थी जिसकी अनुपस्थिति बताने के लिए कुछ ऐसी सफ़ाई देना ज़रूरी था।

'दिहलवी' वह ज़बान है जिसे हम 'उर्दू' कहते हैं।

'उर्दू' का मूल अर्थ सर्वविदित है; यह अर्थ है 'खेमा' या 'तंबू'। चूँकि सेनाएँ तंबुओं में पड़ाव डालती थीं इसलिए यह नाम 'सेना' के अर्थ में मशहूर हुआ; 'उर्दू+ए+मुग़ल' का अर्थ हुआ 'मुग़लों की सेना'। इन तंबुओं में सेनानायक अर्थात् बादशाह का तंबू सबसे ऊँचा होता था और उसका नाम 'उर्दू+ए+मुअल्ला (= सबसे ऊँचा तंबू)' हुआ। चूँकि मुग़ल शासन एक सैनिक शासन था, नागरिक शासन नहीं था, इसलिए शाही महल, 'लाल क़िला' भी 'उर्दू+ए+मुअल्ला' हुआ। इस परिसर में बोली जाने वाली भाषा 'ज़बान+ए+उर्दू+ए+मुअल्ला' हुई। कालान्तर में यही 'ज़बान+ए+उर्दू', या सिर्फ़ 'उर्दू' के नाम से जानी गयी। दिल्ली के लोग जहाँ जा कर बस जाते थे, अपनी बसावट की जगह का नाम 'उर्दू' भी रखते थे। जैसे पूर्वी उत्तरप्रदेश में गोरखपुर में एक 'उर्दू बाज़ार' है। इस प्रकार की 'उर्दू' में रहने वालों की भाषा 'उर्दू' है।

इसी 'दिल्ली कनेक्शन' के नाते यह 'दिहलवी' कहलाती थी। इसको जानने के लिए दिल्ली का ऐसा मुसलमान होना आवश्यक था जिसका सम्बन्ध सीधे मुग़ल दरबार से हो। इसमें भी कई पेचीदगियाँ थीं, उदाहरण के लिए बारहा के सय्यिद यद्यपि मुग़ल दरबार के बनाने-बिगाड़ने वाले रह चुके थे, उनकी घरेलू बातचीत में उनकी गाँव की बोली का ही प्राधान्य था और इस प्रकार उनकी ज़बान 'उर्दू' न थी। हाली उर्दू के बहुत बड़े कवि थे किन्तु वे पानीपत के थे और उनकी भी ज़बान 'उर्दू' नहीं मानी जा सकती थी। दिल्ली में भी कुछ ख़ास मुहल्लों में कुछ ख़ास घरों की ही ज़बान 'उर्दू' मानी जा सकती थी।

लखनऊ के नवाब दिल्ली से गये थे। लखनऊ में मीर, सौदा, मुसहफ़ी दिल्ली से गये थे। अनीस के पूर्वज दिल्ली से गये थे। इन सबके आगे

लखनऊ के वे उर्दू कवि जो दिल्ली से न गये थे, उर्दू के मामले मैं हेठे माने जाते थे। 'मुसहफ़ी' ने लिखा है:

दिल्ली नहीं देखी है, ज़बाँदाँ ये कहाँ हैं?॥

उनके बहुत बाद 'दाग़' लिखते हैं:

ले गये लूट के अब शौकत+ओ+शान+ए+दिहली
पूरबी पहले उड़ाते थे ज़बान+ए+दिहली॥

ये 'पूरबी' लखनऊ वाले थे। मीर ने लखनऊ वालों को 'पूरब के साकिनो' कह कर ही बुलाया है। 'दाग़' का इशारा है कि पहले तो 'पूरबी' लखनऊ वाले दिल्ली की ज़बान उर्दू ही चोरी कर के अपना अधिकार उस पर बताते थे, अब तो 'पूरबी' [15] दिल्ली की सारी शोभा ही लूट ले गये।

यही 'उर्दू' है, यही 'दिहलवी'। इसी के लिए 'दाग़' ने कहा है:

नहीं सह्ल ऐ **दाग़**, यारों से कह दो
कि आती है उर्दू ज़बाँ आते आते॥ [16]

बाद मैं ख़ैर ऐसा भी वक़्त आया कि लखनऊ वाले कह सके:

दावा ज़ुबाँ का लखनऊ वालों के सामने!
इज़हार+ए+बू+ए+मुश्क ग़ज़ालों के सामने!! [17]

लेकिन यह बाद की बात है और इसे कोई उल्लेखनीय मान्यता न मिल सकी क्योंकि फिर तो लखनऊ ही क्यों, हैदराबाद और रामपुर भी ऐसे ही दावे कर सकते थे। ऐसे दावों की प्रासङ्गिकता बाद मैं राजनीतिक कारणों से समाप्त हो गयी और " 'उर्दू' सारे देश की भाषा है" साबित

[15]अर्थात् अंग्रेज़ों की 'रॉयल बंगाल आर्मी' जो 1857 के स्वतन्त्रता-सङ्ग्राम मैं उनके विरोध मैं लड़ते-लड़ते दिल्ली पहुँची थी और जिसने बहादुर शाह 'ज़फ़र' को भारत का सम्राट् घोषित कर वहाँ अंग्रेज़ों से लड़ाई की थी; इसमैं अधिकतर अवधी और भोजपुरी बोलने वाले ब्राह्मण ही थे इसलिए सिपाही को अंग्रेज 'पांडे' कहते थे। अंग्रेज़ों द्वारा पेड़ों से लटका कर जो फाँसी दी जाती थी उसमैं झूलते छटपटाते वध्य का 'पांडे-नाच (= pandy dance)' उस समय के अंग्रेज का विशेष मनोरञ्जन था।
दिल्ली वालों के लिए ये सैनिक 'पूरबी' थे।

[16] 'सहल' पढ़ने की उम्मीद रखने वाले पाठकों को 'सह्ल' देख कर कुछ अपरिचित सा लग सकता है। इसके लिए आगे 'देवनागरी लेखन-पद्धति' के अन्तर्गत दी गयी चर्चा देखिए।

[17] 'मद्दाह' साहब के शब्दकोष मैं 'ग़ज़ाल:' के अन्तर्गत उद्धृत।

करने की ओर ध्यान बढ़ा।

लेकिन इस एकरूपता के बावुजूद, 'उर्दू' कहने से अलग मतलब निकलता है, 'दिहलवी' कहने से अलग।

'उर्दू' किसे कहते हैं, इसको समझने के लिए मैं ग़ालिब का एक कथन उद्धृत करना चाहता हूँ जिसकी ओर मेरी जानकारी में विद्वानों का ध्यान नहीं गया है:

> फ़ारसी और अरबी को बाहम रब्त दे कर एक 'उर्दू' पैदा किया। सुब्हान अल्लाह, वह ज़बान निकली कि न निरी फ़ारसी में वह ख़ज़ाना, न निरी अरबी में वह ज़ौक़। ...
> ...
> सो भी जो अकाबिर+ए+फ़रीक़ैन (= दोनों दलों के प्रतिष्ठा-प्राप्त लोग) मूजिद+ए+ज़बान+ए+उर्दू (= उर्दू के आविष्कारक) हुए उन्होंने ...
>
> 'उफ़्ताँ' तो सीग़0+ए+फ़ाइल हम तब मानते जब ... अहल+ए+ज़बान जो उर्दू+ए+फ़ारसी+ओ+अरबी हैं उनकी नज़्म या नस्र में कहीं आया होता। ...
>
> बल्कि उर्दू में भी गिराँजाँ आदमी को कहते हैं 'ऐ फ़लाँ के फ़लाँ, मर चुक'। सौदा कहता है:
>
> जीता रहेगा कब तलक, ऐ ख़िज़्र, मर कहीं।

यह अंश मौलवी ज़ियाउद्दीन ख़ाँ 'ज़िया' के नाम लिखे गये एक पत्र से उद्धृत है। ग़ालिब ने इस पत्र में 'फ़ारसी' का प्रयोग अरब आक्रमण के पूर्व ईरान में प्रचलित भाषा के लिए किया है और उनका कहना यह है कि उस पुरानी 'फ़ारसी' भाषा में अरबी मिला कर एक नयी 'उर्दू' बनायी गयी। 'उर्दू+ए+फ़ारसी+ओ+अरबी' से ग़ालिब का आशय यहाँ उस भाषा से है जिसे हम आज 'फ़ारसी' कहते हैं, और जो पुरानी 'फ़ारसी' भाषा में अरबी मिला कर एक नयी 'उर्दू' बनायी गयी। आगे उन्होंने सौदा की भाषा के लिए 'उर्दू' लिखा है। यहाँ ग़ालिब का आशय उस भाषा से है जिसे हम आज 'उर्दू' कहते हैं, और जो पुरानी 'हिंदी' भाषा में फ़ारसी मिला कर एक नयी 'उर्दू' बनायी गयी।

ग़ालिब के इस कथन से यह स्पष्ट है कि स्थानीय 'हिंदी' में फ़ारसी के शब्द और भाषिक प्रयोग-विधियाँ मिला कर 'उर्दू' बनायी गयी, ऐसा

विचार उनका था।

ग़ालिब के अनुसार दो भाषाऔं को मिला कर एक भाषा बनाने की प्रक्रिया जहाँ भी सचेत रूप से 'प्रतिष्ठा-प्राप्त लोगौं' द्वारा हो, परिणाम मैं प्राप्त भाषा को 'उर्दू' कहा जा सकता है।

ग़ालिब के पहले की पीढ़ी मैं सय्यिद इंशा अल्ला ख़ान अपनी पुस्तक 'दर्या+ए+लताफ़त' मैं, जो कि उर्दू का प्रथम व्याकरण-ग्रन्थ है और फ़ारसी भाषा मैं लिखा ग़या है, कहते हैं:

> मूजज़ ईं कि चूँ ज़बान+ए+उर्दू इत्र+ए+ज़बान-हा+ए+दीगर अस्त...[18]

[सङ्क्षेप मैं यह कि चूँकि उर्दू भाषा अन्य भाषाऔं का इत्र है...]

यही विचार हिंदी लेखकौं के सदा से रहे हैं; स्थानीय 'हिंदी' मैं फ़ारसी के शब्द और भाषिक प्रयोग-विधियाँ मिला कर 'उर्दू' बनायी गयी। इस प्रक्रिया मैं 'हिंदू मुसलमान' कहीं नहीं आता। टोडरमल की 'ऑफ़िशियल लैंगुएज पॉलिसी' से जिनके हित जुड़े थे, वे सब इस प्रक्रिया मैं शामिल थे।

जहाँगीर की आत्मकथा मैं है:

> बø 'काला पानी' फ़िरोद आमद-म कि बø ज़बान+ए+हिंदी मुराद 'आब+ए+सियाह' अस्त।

[मैं 'काला पानी' मैं हूँ जो हिंदी का शब्द है और जिसका अर्थ 'आब+ए+सियाह' है।] [19]

'उर्दू' मैं 'काला पानी' कह कर 'आब+ए+सियाह' अर्थ किसी को

[18] 'दर्या+ए+लताफ़त'; आसी अहमद गोया का मुर्शिदाबाद से 1850 ईसवी मैं प्रकाशित संस्करण, पृ 17

[19] यह उद्धरण मैंने जमील जालिबी साहब की पुस्तक 'उर्दू साहित्य का इतिहास' (प्रथम खण्ड, पृ 61) से लिया। इस उद्धरण के सन्दर्भ मैं हमैं शायद इस प्रचलित मान्यता पर भी विचार करना चाहिए कि 'काला पानी' अंग्रेज़ी शासनकाल मैं अंडमान मैं क़ैद की सज़ा पाने के अर्थ मैं चालू हुआ मुहावरा है। यौं भी एक पुराना लोकगीत, जो मुझे इस समय ठीक से याद नहीं, बनारस की 'सुन्दर' के नाम से मिलता है जिसमैं 'नागर' के 'काला पानी' जाने का उल्लेख है। तथापि मेरा विचार यह है कि यहाँ जहाँगीर का आशय 'आब+ए+सियाह' से ही है जो फ़ारसी मैं 'मोतियाबिंद' नामक आँखौं की बीमारी के लिए आता है। वैसे यह भी दिलचस्प है कि जिसे 'आब+ए+हयात (= अमृत)' कहते हैं उसका नाम भी 'आब+ए+ज़ुल्मत (= अँधेरे का पानी)' है।
श्री शम्सुर्रहमान फ़ारूक़ी ने सुझाया है कि 'काला पानी' से यहाँ आशय 'शराब' से

बताने की ज़रूरत नहीं। 'उर्दू' मैं 'आब+ए+सियाह' बख़ूबी समझा जायेगा।

शायद यही 'हिंदी' और 'उर्दू' का अन्तर है; 'काला पानी' लिखो तो 'हिंदी', 'आब+ए+सियाह' लिखो तो 'उर्दू'।

इसी तरह, बिलग्राम के प्रसिद्ध हिंदी कवियों मैं से एक, सय्यिद निज़ामुद्दीन 'मधनायक' (जो फ़ारसी लिपि के नाते बराबर 'मदन्‌नायक' भी पढ़ा गया है) के उपनाम का निश्चयन 'शाइर' बिलग्रामी [20] ने लिखा है:

> अम्मा 'मधनायक' लफ़्ज़े स्त हिंदी, मअ़नीय+ए+आँ
> 'वासितत-उल्-क़िलाद0', यअ़नी जौहर+ए+मियान0 ...

[किन्तु 'मधनायक' हिंदी का शब्द है और इसका अर्थ है हार के बीच की सर्वश्रेष्ठ मणि ...] [21]

है। 'काला पानी = शराब' का प्रयोग लखनऊ की स्थानीय उर्दू का है और जोश मलीहाबादी की आत्मकथा 'यादों की बरात' (प्रकाशक मीडिया इंटरनेशनल, दिल्ली 1999) पृ 188 पर दी गयी पादटिप्पणी के अनुसार यह प्रयोग केवल महिलाओं की उर्दू का है। मेरे विचार मैं यह 'शराब' के लिए बहुप्रयुक्त 'लाल पानी' के प्रतिरोध मैं महिलाओं का गढ़ा हुआ शब्द है। मुझे 'आब+ए+सियाह' का 'शराब' अर्थ किसी फ़ारसी शब्दकोष मैं नहीं मिला और उर्दू शब्दकोषों मैं भी यह लखनऊ की स्थानीय उर्दू का ही प्रयोग बताया गया है; वह भी कुछ इनेगिने शब्दकोषों मैं ही। यदि यह मान भी लैं कि जहाँगीर के समय मैं 'काला पानी = शराब' हिंदी मैं स्वीकृत था तो (1) उसका फ़ारसी मैं 'आब+ए+सियाह' से समीकरण और (2) 'काला पानी = शराब' का लखनऊ की महिलाओं की उर्दू तक सीमित हो जाना, इन दो प्रश्नों का उत्तर आसान नहीं है।

[20]इनका पूरा नाम सय्यिद मुहम्मद था और ये बिलग्राम के एक अन्य प्रसिद्ध हिंदी कवि मीर अब्दुल जलील बिलग्रामी के पुत्र थे। ये दोनों नाम आगे मिर्ज़ा बेदिल से सम्बन्धित एक कथा के सन्दर्भ मैं भी आयैंगे।

[21]यह उद्धरण मैंने डॉ शैलेश ज़ैदी की पुस्तक 'बिलग्राम के मुसलमान हिंदी कवि' के पृ 38 से लिया है।

इस पुस्तक मैं 'कलादः' छपा था। चूँकि 'कलादः' कोई शब्द नहीं है और 'कलाव0' है, जो हाथी की झूल के अर्थ मैं है, इससे भ्रम मैं पड़ कर मैंने मूल आलेख मैं एक टिप्पणी कर दी थी जिसे मैं कोष्ठक मैं जस का तस उद्धृत कर रहा हूँ।

(पुस्तक मैं 'कलाव0' की जगह 'कलादः' छप गया है, यह भ्रम प्रायः ही 'वाव' और 'दाल' की मिलती-जुलती आकृतियों के नाते हो जाता है)

श्री शम्सुर्रहमान फ़ारूक़ी ने मेरा ध्यान इस ओर दिलाया कि वास्तविक शब्द यहाँ 'क़िलाद0' होना चाहिए। उनके इस सुझाव को स्वीकार करते हुए मैं अपनी ग़लत टिप्पणी को वापस ले रहा हूँ।

बिलग्राम के इन कवियों से सम्बन्धित अन्य सूचनाएँ भी इसी पुस्तक से साभार ली गयी हैं। यह महत्त्वपूर्ण पुस्तक नागरी प्रचारिणी सभा द्वारा 1969 मैं प्रकाशित हुई थी। मेरी जानकारी मैं इससे आगे इस विषय पर हिंदी मैं काम नहीं हुआ।

मेरी जानकारी मैं 'मधनायक' हिंदी का प्रचलित शब्द नहीं है और यह 'वासितत-उल-कलाव0' (या केवल 'वासितत') का हिंदी अनुवाद ही लगता है। मुझे लगता है कि

'उर्दू' मैं 'मधनायक' कह कर 'वासितत-उल्-क़िलाद0' अर्थ किसी को बताने की जरूरत नहीं। 'उर्दू' मैं 'वासितत-उल्-क़िलाद0' बख़ूबी समझा जायेगा।

शायद यही 'हिंदी' और 'उर्दू' का अन्तर है; 'मधनायक' लिखो तो 'हिंदी', 'वासितत-उल्-क़िलाद0' लिखो तो 'उर्दू'।

जिसे 'रेख़्ता' कहते हैं उसका दिल्ली मैं शुरुआती मुक़ाबिला फ़ारसी भाषा से था, 'भाका' से नहीं। मिर्ज़ा बेदिल ने अपने बाल्यकाल मैं, शाहजहाँ के ज़माने मैं, शाह मलूक [22] से तीन दिन तक उपदेश सुने और छिप कर उन्हें लिपिबद्ध किया किन्तु अपनी आत्म-कथा 'चहार उंसुर' मैं उन्हौंने लिखा है कि उस उपदेश को मैं इसलिए नहीं इस किताब मैं लिख रहा हूँ कि किताब फ़ारसी भाषा मैं है और उपदेश एक तो 'भारतीय सन्दर्भों से भरे हुए' हैं (मुस्तलहात+ए+हिन्द) और दूसरे, उनमैं 'कई प्रकार के विचित्र "रेख़्ता" के शब्द' (अक़साम+ए+लुग़ात+ए+रंग-तरतीब+ए+रेख़्त0) भरे हुए हैं।

हम मान सकते हैं कि मिर्ज़ा बेदिल ने शाह मलूक के उपदेश फ़ारसी लिपि मैं लिपिबद्ध किये हौंगे, देवनागरी मैं न किये हौंगे क्यौंकि उन्हौंने यह नहीं कहा कि देवनागरी लिपि मैं लिपिबद्ध काव्य को मैं फ़ारसी भाषा मैं लिखी किताब मैं कैसे उतारूँ। लेकिन मिर्ज़ा बेदिल यह जानते थे कि फ़ारसी-भाषी की एक दूरी न केवल 'भारतीय सन्दर्भौं' से है अपितु 'कई प्रकार के विचित्र "रेख़्ता" के शब्द' भी उसकी समझ मैं न आयैंगे। मिर्ज़ा बेदिल ने समझ का सवाल उठाया है, लिपि का नहीं।

'ज़बान+ए+रेख़्ता = (गिरी-पड़ी भाषा)' वस्तुतः 'अपभ्रंश

कवि का यह उपनाम यह इशारा भी देता है कि वे 'वासिती' थे; वासित एक स्थान का नाम है जो कूफ़ा और बसरा के बीच है और यही बिलॅग्राम के सभी सय्यिदों का मूलस्थान था। बिलग्राम के प्रत्येक मुसलमान विद्वान् का पूरा नाम जब भी लिखा जाता है, 'वासिती बिलग्रामी' लिखा जाता है। 'वासित' का अर्थ 'मध्यस्थित' है; यही 'वासितत', या 'वासित0' का भी अर्थ है, और 'हार, या कंगन के बीच के जड़ाऊ नग' कें अर्थ मैं यह एक रूढ प्रयोग है। सम्भवतः इस उपनाम से कवि अपने को 'वासिती वंश की मणि' के रूप मैं बताना चाहता है।

[22]मेरा अनुमान है कि ये प्रसिद्ध सन्त मलूक दास हैं जिनका यह दोहा प्रसिद्ध है:

अजगर करे न चाकरी, पंछी करे न काम
दास मलूका कह गये, सबके दाता राम॥

भाषा' या 'अपभ्रष्ट भाषा' का सीधा फ़ारसी अनुवाद है। यह भारत की दो हज़ार साल से प्रचलित 'अपभ्रंश' या 'अपभ्रष्ट' का फ़ारसी-भाषियोँ द्वारा दिया गया नाम है। हाफ़िज़ के समकालीन कवि कमाल खुजंद की पङ्क्ति है:

अज़ रेख़्त0 मौज-स्त ओ तृरब दर सर+ए+हिंदू [23]

यह वही भाषा है जो कबीर, तुलसी और केशवदास की 'भाखा' है और जिसको उर्दू मेँ कुछ लोग हठ-पूर्वक 'भाका' कहते रहे हैँ। इसके शब्द फ़ारसी-भाषियोँ की समझ मेँ न आते थे।

मिर्ज़ा बेदिल के इस कथन के सन्दर्भ मेँ हमेँ उस कहानी का भी कुछ अर्थ समझने की कोशिश करनी चाहिए जो जमील जालिबी साहब ने अपने 'उर्दू साहित्य का इतिहास' मेँ लिखी है और जिसके अनुसार मिर्ज़ा बेदिल को जब उनके समकालीन, और व्रज-भाषा के प्रसिद्ध कवि, चिन्तामणि की कविता पढ़ कर सुनायी गयी तो उन्होँने कहा कि "मैँ हिंदुई नहीँ जानता, मुझे समझा दो"। [24]

जो भी हो, जब शाहजहाँ के कोई सौ साल बाद मुहम्मद शाह रँगीले के समय के कवि 'नाजी' कहते हैँ:

बिरह ने दिल उपर छाया है बँगला
घटा मेँ शोर सुन तुझ बाँसुरी का॥
बलंदी सुन के नाजी रेख़त0 की
हुआ है पस्त शुहर0 फ़ारसी का॥

तो वे कुछ वही निवेदन कर रहे हैँ जो 'रमल' और 'हजज़' की जगह 'दोहा' लिख कर कुछ उर्दू कवियोँ ने बीसवीँ शताब्दी मेँ किया।

मुझे इस पर आश्चर्य है कि हिन्दी-उर्दू विवाद का पिष्ट-पेषण करने वाले विद्वानोँ का ध्यान इस पर नही गया कि 'रेख़्ता = (गिरी-पड़ी)' वस्तुतः 'अपभ्रंश' या 'अपभ्रष्ट' का सीधा फ़ारसी अनुवाद है। इस पर

[23]अर्थात्, 'रेख़्ता' से हिंदू के मन मेँ आनन्द और हर्ष होता है।

[24]'तारीख़+ए+अदब+ए+उर्दू', जिल्द दुयुम, हिस्सा अव्वल, पृ 126। यह घटना सय्यिद अब्दुल जलील बिलग्रामी के पुत्र सय्यिद मुहम्मद की उपस्थिति मेँ घटी बतायी जाती है और उन्हीँ के द्वारा लिखी गयी है। मेरा अनुमान है कि मिर्ज़ा बेदिल को चिन्तामणि की कविता पसंद न आयी होगी। मथुरा मेँ बस कर साधुओँ संन्यासियोँ की लंबे समय तक संगत करने वाले मिर्ज़ा बेदिल को व्रज-भाषा न समझ मेँ आये, और वे उसे 'हिंदुई' कह कर उससे अपनी अनभिज्ञता प्रकट करेँ, यह विश्वसनीय नहीँ लगता।

ध्यान जाना चाहिए।

'ज़बान+ए+रेख़्ता = "अपभ्रंश" भाषा या "अपभ्रष्ट" भाषा' की कहानी 'अपभ्रंश भाषा' या 'अपभ्रष्ट भाषा' के प्रथम ज्ञात कवि, उपलब्ध भारतीय साहित्य मैं सबसे पुराना दोहा लिखने वाले कवि, कालिदास से शुरू होती है, मुल्ला दाऊद से नहीं।

'उर्दू' के कवि ग़ालिब तक 'रेख़्त0' या 'हिंदी' मैं ही लिखते थे। इस 'रेख़्त0' का प्रतिपक्ष या तो फ़ारसी थी, जैसा कि 'नाजी' के ऊपर दिये गये उद्धरण से प्रकट है, या फिर 'दकनी' थी, जैसा कि 'क़ाइम' के इस शेर से ज़ाहिर होता है:

> **क़ाइम** मैं ग़ज़ल तूर किया रेख़्त0 वर्न0
> इक बात लचर सी बø -ज़बान+ए+दकनी थी॥

किन्तु कभी-कभी यह आवश्यक होता था कि 'हिंदी' और 'रेख़्त0' मैं अन्तर किया जाय। बिलग्राम के कवि सय्यिद बरकतुल्लाह 'पेमी' जब 'हिंदी' मैं लिखते हैं तो उनकी भाषा यह है:

> जो पिय चतुर साम मन लागे, कुबजा की गति डाढ़ैं
> **पेमी** आवो बेग रावरे, हमहूँ कूबर काढ़ैं॥

किन्तु जब वे 'रेख़्त0' मैं लिखते हैं तो उनकी भाषा यह है:

> बिरह की पीर नित दाहै, भया यह हाल बिन लालन
> गिरीबान-म ज़ि दस्त+ए+आशिक़ी चाक स्त ओ दामान-म॥

ऐसी जगहौं पर 'रेख़्त0' का मतलब 'भाका मैं कुछ फ़ारसी' है।

ग़ालिब ने 'उर्दू', 'हिंदी', और 'रेख़्त0', तीनौं का प्रयोग एक ही भाषा के लिए किया है। जब वे एक परम्परा की ओर इशारा करते हैं तो उनकी कविता 'रेख़्त0' मैं है (रेख़ते के तुम्हीं उस्ताद नहीं हो ग़ालिब; कहते हैं अगले ज़माने मैं कोई मीर भी था॥), जब वे यह बताना चाहते हैं कि उनकी कविता की भाषा शुद्ध फ़ारसी न हो कर स्थानीय 'हिंदी' मैं फ़ारसी के शब्द और भाषिक प्रयोग-विधियाँ मिला कर बनायी गयी 'उर्दू' है, तब वे 'उर्दू' कहते हैं (बिगुज़र अज़ मज्मूअ0+ए+उर्दू किø बेरंग+ए+ मन स्त॥) [25], और जब वे सिर्फ़ इतना कहना चाहते हैं कि

[25] पूरा शेर यह है:

वे अपनी उस कविता की बात कर रहे हैं जो भारतीयों द्वारा बोली जाने वाली भाषा में है तो वे 'हिंदी' का प्रयोग करते हैं: ([ये] हिंदी के शेर मेरे नहीं बल्कि शुअरा+ए+लखनऊ में से किसी के हैं ...) [26] ।
यह एक लंबा प्रसङ्ग है जिसे सङ्क्षेप में निबटाना अन्याय है। किन्तु मेरा समझना यह है कि 'रेख़्त0', 'उर्दू', और 'हिंदी', इन तीनों शब्दों का ग़ालिब द्वारा किया गया प्रयोग ही उचित है। हाँ, अब 'हिंदी' कहने से 'भारतीयों द्वारा बोली जाने वाली भाषा' समझना सम्भव नहीं, वह अब उस भाषा का नाम है जिसे भाषा-वैज्ञानिक 'हिंदी-उर्दू' कहते हैं और जो 'दिल्ली और उत्तर प्रदेश के शहरी केन्द्रों में शिक्षा-प्राप्त मध्यवर्गीयों द्वारा बोली जाती है'। जब यह बतलाना होता है कि यह एक ऐसी बोली भी है जिसकी जड़ें 'शिक्षा-प्राप्त मध्यवर्गीयों' से कुछ और गहरे तक जाती हैं तो इसे 'खड़ी बोली' कहते हैं।

1.2 खड़ी बोली फ़ारसी के प्रभाव से उत्पन्न?

वस्तुतः फ़ारूक़ी साहब का इस प्रकार का कथन, जिसमें और बहुत से लोगों के ऐसे ही तर्कों की अनुगूँजें हैं, श्री सफ़दर 'आह' के इस तर्क का राजनीतिक विस्तार है:

> नागरी लिपि की एक विशेषता यह है कि इसका प्रत्येक अक्षर वास्तव में गतिमान् है और इसमें 'अ' की ध्वनि मिली हुई है। उदाहरण के लिए नागरी 'क' सदैव (क-ka) तथा 'ख' सदैव (ख-kha) की ध्वनि देगा।
>
> ....
>
> खड़ी बोली फ़ारसी शैली में ढली है जिसमें प्रत्येक शब्द का अन्तिम अक्षर स्थिर होता है जैसे 'हम्' (ham) या 'तुम्' (tum)। [27]

यह तर्क एकमात्र तर्क है जिसके बल पर अली सरदार जाफ़री से ले कर

फ़ारसी बीं ता बिबीनी नक़्श-हा+ए+रंग-रंग
बिगुज़र अज़ मज्मूअ0+ए+उर्दू कि॰ बेरंग+ए+ मन स्त॥
[मेरी फ़ारसी कविता देखो कि तुम्हें मेरे खींचे हुए विविध रंग के चित्ताकर्षक चित्र मिलें; मेरी उर्दू कविता से दूर रहो क्योंकि उसमें मेरा कोई रंग नहीं है।]

[26]मौलवी करामत अली ख़ाँ के नाम लिखे गये एक पत्र से उद्धृत।

[27]'महाकवि खुसरो', लेखक सफ़दर 'आह', प्रकाशक 'हिन्दी समिति', उत्तर प्रदेश 1976; पृष्ठ 44-46।

शम्सुर्रहमान फ़ारूक़ी तक देवनागरी लिपि के 'दोषौं' की चर्चा करते रहे हैं यद्यपि इसे स्पष्ट रूप से 'आह' साहब ने ही लिखा है।
इसका राजनीतिक विस्तार किस तरह किया जा सकता है इसका उदाहरण फ़ारूक़ी साहब के उद्धरणौं मैं देखा जा चुका है। इसका 'भाषिक' विस्तार अली सरदार जाफ़री के इन शब्दौं मैं देखिए:

> इस तरह नागरी लिपि उर्दू की आवाज़ौं को बड़ी हद तक व्यक्त करने मैं समर्थ हो जायगी।

ये 'उर्दू की आवाज़ैं' क्या हैं? भाषा-वैज्ञानिक एक भाषा 'हिंदी-उर्दू' के नाम से जानते हैं। यदि आप उदाहरण के लिए Patterns of Sounds [28] देखैं तो आपको 'हिंदी-उर्दू' नामक एक भाषा मिलेगी जिसमैं कुछ क़, ख़, ग़, ज़, फ़ जैसे उच्चारण (भारतीय उच्चारण मैं) असम्पृक्त (= unassimilated) बताये गये हैं।
ये किस अर्थ मैं (भारतीय उच्चारण मैं) असम्पृक्त (= unassimilated) हैं?
क्या 'क़', 'ख़' को 'उर्दू की आवाज़ैं' कहा जा सकता है?
अवधी, भोजपुरी, और बहुत सी अन्य भाषाऔं मैं, जिनकी पहचान यह नहीं है कि वे 'शिक्षा-प्राप्त मध्यवर्गीयौं' द्वारा बोली जाती हैं, 'क़', 'ख़' सिरे से ग़ाइब हैं। 'पदमावत' मैं भी अगर अबाबकर सिद्दीक सयाने मैं 'सिद्दीक' को 'सिद्दीक़' लिखैंगे तो यह सही नहीं माना जायगा।
अरबी का 'क़लीय0' या 'क़ल्य0' (= पका हुआ गोश्त) भोजपुरी मैं 'कलिया' है और गाँवौं में अनेक व्युत्पत्तिशास्त्री मिल जायँगे जो यह बतायँगे कि 'पके हुए मांस' का यह नाम इसलिए है कि काली जी को मांस की बलि अर्पित की जाती है।
पहले, यानी लाला श्रीनिवास दास के ज़माने मैं, ग़ज़ल को देवनागरी मैं लिप्यन्तरित करते समय 'क़', 'ख़' की जगह 'क', 'ख' से काम चलता था। लेकिन शीघ्र ही यह महसूस किया गया कि यदि तत्सम शब्द 'ऋषि' की वर्तनी नहीं बदली जाती (भाषा-काव्य मैं यह बदली जाती थी) तो तत्सम 'ग़ालिब' को 'गालिब' लिखना-बोलना उचित नहीं और इस लिए देवनागरी मैं 'क़', 'ख़' के लिपिचिह्न बढ़ाये गये। किन्तु ये केवल विदेशी तत्सम शब्दौं मैं ही आते हैं।

[28]लेखक Ian Maddieson, प्रकाशक Cambridge University Press, 1984

जो भाषा 'दिल्ली और उत्तर प्रदेश के शहरी केन्द्रों मैं शिक्षा-प्राप्त मध्यवर्गीयों द्वारा बोली जाती है', उसी मैं 'क़', 'ख़' हैं और उसी के देवनागरीकरण मैं 'क़', 'ख़' के लिपिचिह्न बढ़ाने की आवश्यकता है। 'क़', 'ख़' को 'उर्दू की आवाज़ैं' नहीं कहा जा सकता। ये विदेशी आवाज़ैं हैं जिन्हैं 'शिक्षा-प्राप्त मध्यवर्गीयों' द्वारा अपनाया गया है। संस्कृत मैं फ़ारसी भाषा के कुछ व्याकरण-ग्रन्थ लिखे गये थे। दो को मैंने खुद देखा है। इनका महत्त्व इस अर्थ मैं है कि फ़ारसी भाषा के व्याकरण-ग्रन्थ मुख्यतः दो व्याकरण-परिपाटियों पर, अरबी व्याकरण-परिपाटी पर, और लैटिन व्याकरण-परिपाटी पर, लिखे हुए मिलते हैं। परम्परागत शिक्षण मैं अरबी व्याकरण-परिपाटी पर लिखे गये व्याकरण-ग्रन्थों का प्रयोग होता रहा है। इनके बारे मैं मिर्ज़ा ग़ालिब की दो टिप्पणियाँ मैं उद्धृत करता हूँ।

- ज़बान+ए+फ़ारसी मुर्दे का माल है। अरब के हाथ बतरीक़+ए+यग़मा (= लूट के माध्यम से) आया है जिस तरह चाहैं सर्फ़ करैं (= ख़र्च करैं)[29]

- फ़ारसी का हर्फ़ (= अक्षर) कहाँ? फ़ारसी का नुमू (= विकास) कहाँ? फ़ारसी ज़बान अअ़राब (= अरब लोग) की लौंडी, जो चाहा नाम रख दिया। ... शम्सुन्नहार (= प्रातःकालीन सूर्य) कह कर याद किया। 'ओ लौंडी छोकरी' कह कर बुला लिया। ...

  ...

  पारसियान+ए+साबिक़ (= पूर्ववर्ती फ़ारसी-भाषी) जो जानते न थे कि फ़ाइल (= कर्ता; यह अरबी व्याकरण का तकनीकी शब्द है।) किसको कहते हैं, और जमअ़ (= बहुवचन; यह अरबी व्याकरण का तकनीकी शब्द है।) किस मर्ज़ का नाम है, अम्र का सीग़ा (= कर्म कारक; यह अरबी व्याकरण का तकनीकी शब्द है।) कौन जानवर है और इस्म+ए+जामिद (= ऐसी संज्ञा जो किसी अन्य शब्द से न बनी हो; यह अरबी व्याकरण का तकनीकी शब्द है।) किस पत्थर को कहते हैं ... [30]

दूसरी व्याकरण-परिपाटी जिसमैं फ़ारसी भाषा के ग्रन्थ लिखे गये हैं, लैटिन व्याकरण-परिपाटी है। इनकी ओर मेरे जैसे लोग मुड़ते हैं जिन्हैं

[29]साहब+ए+आलम मारहरवी के नाम एक पत्र से।
[30]मौलवी जियाउद्दीन ख़ाँ 'जिया' के नाम एक पत्र से।

फ़ारसी सीखनी है।

अतः यह जानना शायद दिलचस्प हो कि भारतीय व्याकरण-परिपाटी मैं फ़ारसी भाषा का व्याकरण-लेखन कैसे हुआ है।

यहाँ मेरा कहना सिर्फ़ इतना है कि इन व्याकरण-ग्रन्थौं मैं 'क़', 'ख़' की जगह 'क', 'ख' से काम चलता था।

यह देखते हुए, कि देवनागरी लिपि मैं ये 'उर्दू की आवाज़ैं' कोई सौ साल से लिखी जा रही हैं वह कौन सा भेदक चिह्न है जो अली सरदार जाफ़री पहचानना चाहते हैं?

'उर्दू की आवाज़ौं' के लिए नहीं, 'उर्दू की वर्तनियौं' के लिए हमैं देवनागरी लिपि के विस्तार की आवश्यकता है। वर्तनियौं मैं अतीत है, उच्चारण मैं वर्तमान। अतीत के विना वर्तमान की कल्पना और अस्तित्व दोनौं ही सन्देहास्पद रहते हैं।

'आह' साहब के तर्क पर चल कर हम न केवल खड़ी बोली, अपितु अवधी को भी 'फ़ारसी के प्रभाव से उत्पन्न' बता दैंगे क्यौंकि 'हनुमानचालीसा' की पहली पङ्क्ति

जय हनुमान ग्यान गुन सागर। जय कपीस तिहुँ लोक उजागर॥

मैं ही सब लोग 'जय' को 'जै' पढ़ते हैं और कोई भी 'सागर' और 'उजागर' की जगह 'सागर्' और 'उजागर्' लिखने का आग्रह नहीं करता। इसका कारण यह है कि मात्रिक छन्दौं मैं इकाई चतुष्कल, अर्थात् चार मात्राऔं की बनी, होती है और उसे 'गुरु, लघु, लघु' के क्रम से प्राप्त कर सकते हैं (जैसे 'सागर' और 'उजागर') मैं। यही चतुष्कल 'गुरु, गुरु' के क्रम से प्राप्त किया जा सकता है, जैसे कि 'हनुमानचालीसा' की दूसरी पङ्क्ति

रामदूत अतुलितबलधामा। अंजनिपुत्र पवन सुत नामा॥

मैं 'धामा' और 'नामा' से। 'सागर' और 'सागर्' का भारतीय उच्चारणसमय एक ही है, दोनौं ही चतुष्कल हैं। यह बात पिङ्गलाचार्य ने ही लिख रखी है [31] यद्यपि उनका ग्रन्थ ईसा के पहले लिखा गया

[31]लः समुद्रा गणः; छन्दःशास्त्र 4-13

था और वे निश्चय ही 'उपर्युक्त फ़ारसी भाषाशैली की शिक्षा से वंचित व्यक्ति' थे।

इस सिलसिले मेँ हमेँ इसपर भी कुछ ध्यान देना होगा कि फ़ारसी का लेखन अरबी लिपि मेँ होता है। जो शब्द फ़ारसी मेँ 'क़ातिल्' पढ़ा जाता है और जिसे देवनागरी मेँ 'क़ातिल' लिखने पर इतनी आपत्ति है वह मूल अरबी मेँ 'क़ातिलुन्' पढ़ा जायेगा। अरबी मेँ 'किताबु' है, 'किताब्' नहीँ। फ़ारसी मेँ लिखा तो अरबी का 'किताबु' जाता है किन्तु पढ़ा फ़ारसी का 'किताब्' जाता है। यह ठीक वैसा ही है जैसे 'सागर' लिखना और 'सागर्' पढ़ना। अतः हमेँ 'सागर' लिखने और 'सागर्' पढ़ने के कारण अरबी वर्तनी मेँ नहीँ, फ़ारसी उच्चारणप्रणाली मेँ खोजने होँगे। ये कारण प्राचीन फ़ारसी मेँ ही हो सकते हैँ। और प्राचीन फ़ारसी मेँ स्वर-व्यञ्जन व्यवस्था वैसी ही थी जैसी वह संस्कृत-आधारित अन्य भाषाओँ मेँ थी।

'फ़ारसी का प्रभाव' दिखाने का उत्साह कुछ नया नहीँ; प्राकृत **पाइक्क** या **पइक्क** को फ़ारसी के पैक से उद्भूत बताने मेँ गोल्डश्मित और याकोबी जैसे विद्वान् भी पीछे न थे।[32]

1.3 'हिंदी स्वनिकी' और ''अ'-लोप'

वस्तुतः 'आह' साहब के तर्क की बुनियाद मेँ देवनागरी लिपि के बारे मेँ व्यापक रूप से फैला वही भ्रम है जिसको फैलाने मेँ देवनागरी लिपि के समर्थकोँ का बहुत बड़ा हाथ रहा है, अर्थात् यह स्थापना कि देवनागरी लिपि मेँ जो लिखा जाता है वही पढ़ा जाता है।

ख़ैर, यहाँ जो बात हो रही है वह ''अ'-लोप', या ə-deletion की समस्या है।

मोटे तौर पर, फ़ारसी मेँ कोई शब्द ऐसा नहीँ जिसका अन्त 'ह्रस्व अ' मेँ होता हो; 'कुल' नहीँ 'कुल्' पढ़ा जाता है, 'बार' नहीँ 'बार्' पढ़ा जाता है। यही हिंदी मेँ भी होता है और इसी पर यह तर्क आधारित है कि हिंदी का विकास फ़ारसी प्रभाव से हुआ। इसी को हिंदी मेँ ''अ'-लोप', या ə-deletion कहते हैँ। फ़ारसी मेँ यह ''अ'-लोप',

[32]इस दिलचस्प प्रसंग के लिए देखिये 'प्राकृत भाषाओँ का व्याकरण' (पिशेल के प्रसिद्ध ग्रन्थ का हेमचन्द्र जोशी कृत अनुवाद), बिहार राष्ट्रभाषा परिषद; पृ 292। **पइक्क** शब्द फ़ारसी के भारतप्रवेश के सैकड़ोँ साल पहले लिखे गये भवभूतिकृत 'मालतीमाधव' मेँ आया है।

या ə-deletion नहीं कहलाता क्योंकि यह माना जाता है कि 'कल = काफ़+लाम' मैं 'काफ़= क्' पर हरकत है (वह 'मुतहर्रिक', अर्थात् 'गतिमान्' है), जब कि 'लाम=ल्' गतिहीन है।

मेरा सोचना है कि हिंदी मैं ' 'अ'-लोप', या ə-deletion की बात देवनागरी लिपि की लेखन-प्रणाली को ठीक से न समझने के कारण उठायी जाती रही है। इसे मैं एक उदाहरण से स्पष्ट करता हूँ। प्रो रवीन्द्रनाथ श्रीवास्तव और प्रो भोलानाथ तिवारी जैसे विद्वान् यह मानते रहे हैं कि 'कमल' जैसे शब्दों मैं अन्तिम 'ल' चूँकि 'ल्' उच्चरित होता है, इसलिए यहाँ ' 'अ'-लोप' है। किन्तु वे एक मनोवैज्ञानिक स्तर पर इस 'ल्' मैं 'अ' की सत्ता स्वीकार करते हैं क्योंकि हिंदी की शब्दसंरचना ऐसा कुछ माने विना व्याख्येय नहीं होती (जैसे 'सात ही' फिर 'साथी' बन जायेगा, या हिंदी 'महान्' से 'महानता' बना लेती है, आदि)। तकनीकी भाषा मैं यह कहा जाता है कि स्वनिक (= phonetic) स्तर पर 'अ' की सत्ता नहीं है, किन्तु स्वनिमिक (= phonemic) स्तर पर 'अ' की सत्ता है।

मञ्जरी ओहाला का कहना है कि यह 'मनोवैज्ञानिक स्तर पर "अ" ' देवनागरी लिपि की लेखन-प्रणाली से प्रभावित है और इस प्रकार इसकी कल्पना अनावश्यक और अवैज्ञानिक है।

मेरा समझना यह है कि देवनागरी लिपि की लेखन-प्रणाली 'ल' से ' "अ"-युक्त ल' और ' "अ"-हीन ल' दोनौं की सूचना देती है और इस प्रकार ' 'अ'-लोप', या ə-deletion की समस्या देवनागरी लिपि की लेखन-प्रणाली से प्रभावित नहीं है बल्कि देवनागरी लिपि की लेखन-प्रणाली को न समझने के नाते और उसके रोमनीकरण से प्रभावित है। अर्थात् मेरा समझना यह है कि चूँकि हम रोमनीकरण मैं सदा ही देवनागरी के लिपि-सङ्केत 'ल' को la लिखते हैं इसलिए हमैं जब भी 'ल' से 'ल्' की सूचना देवनागरी लिपि देती है, हम कह बैठते हैं कि यहाँ ' 'अ'-लोप', या ə-deletion है। मैं इस प्रकार ' 'अ'-लोप' की चर्चा को ही अनावश्यक और अवैज्ञानिक मानता हूँ।

संस्कृत मैं ही अनेक शब्द ऐसे हैं जिन पर ' 'अ'-लोप' का सन्देह किया जा सकता है। मैं कुछ उदाहरण देता हूँ: हल+ईषा =

हलीषा विना 'हल' को 'हल्' पढ़े सिद्ध नहीँ होता, मनस् + ईषा = मनीषा विना 'मनस्' को 'मन्' पढ़े सिद्ध नहीँ होता, शक + अन्धु = शकन्धु विना 'शक' को 'शक्' पढ़े सिद्ध नहीँ होता, कुल + अटा = कुलटा विना 'कुल' को 'कुल्' पढ़े सिद्ध नहीँ होता, सम + अर्थ = समर्थ विना 'सम' को 'सम्' पढ़े सिद्ध नहीँ होता। प्राकृतौँ मैँ भी नर + ईसर = नरीसर विना 'नर' को 'नर्' पढ़े सिद्ध नहीँ होता, निसास + ऊसास = नीसासूसास विना 'निसास' को 'नीसास्' पढ़े सिद्ध नहीँ होता।

कई अपभ्रंश प्राकृतौँ मैँ अनेक स्थितियौँ मैँ अन्तिम 'अ' का लोप दिखायी देता है, अग्निकेन से अग्गिएँ, वातेन से वाएँ। कालिदास के नाटक 'विक्रमोर्वशीय' मैँ भी एन चिह्नेन की जगह एँ चिण्हैँ और प्रहारेण से पहारैँ उपलब्ध है।[33]।

संस्कृत और प्राकृतौँ मैँ निश्चय ही ऐसा सर्वत्र नहीँ होता। किन्तु क्या उर्दू या फ़ारसी मैँ ऐसा सर्वत्र होता है? क्या हम

> यø नø थी हमारी क़िस्मत किø विसाल + ए + यार होता[34]

को

> यø नø थी हमारी क़िस्मत किø विस़ाल + ए + याहोँता

पढ़ सकते हैँ?

हाफ़िज़ की एक ग़ज़ल यौँ शुरू होती है:

> स़लाह़ + ए + कार कुजा ओ मन + ए + ख़राब कुजा
> बिबीँ तफ़ावुत + ए + रह अज़ कुजा स्त ता बø कुजा॥

इस ग़ज़ल मैँ क़ाफ़िया ख़राब कुजा के साथ ता ब कुजा, रबाब कुजा, नाब कुजा, इताब कुजा, आफ़ताब कुजा आदि का है। इन्हैँ ख़राब् कुजा, ताब् कुजा, रबाब् कुजा, नाब् कुजा, इताब् कुजा, आफ़्ताब् कुजा नहीँ पढ़ सकते। यहाँ हाफ़िज़ ने ता बø कुजा मैँ आये बø मैँ 'ब' के अ-कारयुक्त उच्चारण के साथ ही ख़राब आदि के 'ब' का अ-कारयुक्त उच्चारण माना है; वे ऐसा नहीँ

[33]प्राकृत भाषाओँ का व्याकरण (पिशेल के प्रसिद्ध ग्रन्थ का हेमचन्द्र जोशी कृत अनुवाद) बिहार राष्ट्रभाषा परिषद्; पृ 240

[34]'यø' को 'य', 'नø' को 'न', 'किø' को 'कि' और 'विस़ाल + ए + यार' को 'विसाल + ए + यार' पढ़ना चाहिए।

कर सकते थे यदि ऐसे उच्चारण की स्वीकृति लोकव्यवहार में न होती। मुहसिन काकोरवी के मशहूर क़सीदे के दो शेर लीजिए:

इ़त्र-अफ़्शाँ है शबीह+ए+गुल+ए+नसरीन+ओ+समन
नख़्ल+ए+दाऊदी+ए+मोमी से टपकता है अ़सल॥
लहरें लेता है जो बिजली के मुक़ाबिल सब्ज़0
चर्ख़ पर बादला फैला है ज़मीं पर मख़मल॥

इसमें अ़सल के 'अ़' को पूरा ही पढ़ना पड़ता है और इसके सामने मख़मल का 'ख़' आता है जिसे नियमानुसार पूरा नहीं पढ़ना चाहिए क्योंकि शब्द मख़्मल् है।
इनकी व्याख्या विना यह माने नहीं की जा सकती कि ''अ'-लोप' का नियम न तो अपरिहार्य है न सार्वत्रिक।
यह कहा जा सकता है कि ये उदाहरण कविता से लिए गये हैं और कविता में कई तरह की छूट रहती है। मैं 'कविता में छूट' पर बात करता हूँ किन्तु उसके पहले यहाँ एक बात कह कर आगे बढ़ना चाहता हूँ: फ़ारसी में भी, तिफ़्ल जैसे कुछ शब्दों में अन्त्य 'अ' का लोप आवश्यक नहीं है।[35]
जहाँ तक 'कविता में छूट' की बात है, वह कभी भी इस तरह नहीं ली जाती कि लोक-व्यवहार का उल्लङ्घन हो। सभी साहित्यिक भाषाओं का एक मानक रूप होता है किन्तु सभी साहित्यिक भाषाएँ बोली भी जाती हैं और उनके लोक-व्यवहार अलग-अलग होते हैं। इन्हीं लोक-व्यवहारों पर वे प्रयोग आधारित होते हैं जिन्हें हम कविता में दी गयी 'छूट' कहते हैं। कोई अगर चाहे तो कह सकता है कि ऊपर दिये गये उदाहरण

इ़त्र-अफ़्शाँ है शबीह+ए+गुल+ए+नसरीन+ओ+समन
नख़्ल+ए+दाऊदी+ए+मोमी से टपकता है अ़सल॥
लहरें लेता है जो बिजली के मुक़ाबिल सब्ज़0
चर्ख़ पर बादला फैला है ज़मीं पर मख़मल॥

में ऊपर का शेर 'रमल मह़ज़ूफ़ मख़्बून' में है और नीचे का शेर 'रमल मह़ज़ूफ़ मख़्बून मुसक्कन' में। इससे यही लाभ होगा कि जिसे 'कविता में छूट' कहा गया, उसे तकनीकी शब्दावली मिल जायेगी। बात ले दे

[35]... the Persians pronounce these words almost like *tiflă, naqlă, nagdă*, and in the two last words, slightly dwell on the *fatḥa.*
—Higher Persian Grammar, Phillott; p. 28

कर इतनी है कि एक गुरु की जगह दो लघु प्रयुक्त किये जा सकते हैं क्यौंकि दोनौं मैं ही दो मात्राएँ होती हैं।

यह छन्दःशास्त्र का विषय है जिसके विना स्वनिकी की कोई चर्चा अपूर्ण है। प्राचीन ग्रीक, या संस्कृत, की स्वनिकी 'सूचकौं' (= informants) के आधार पर नहीं समझी जा सकती, केवल छन्दोबद्ध कविता ही उसके अध्ययन का आधार है।

आधुनिक हिंदी स्वनिकी मैं ''अ'-लोप' (=schwa-delition) की चर्चा बहुत है और इसे हिंदी स्वनिकी का एक विशेष अभिलक्षण माना जाता है। मञ्जरी ओहाला की पुस्तक Aspects of Hindi Phonology मैं इसपर एक पूरा अध्याय है और अन्य प्रकारौं से भी इस चर्चा ने इस पुस्तक मैं बहुत स्थान घेर रखा है। डॉ भोलानाथ तिवारी द्वारा, प्रो रवीन्द्रनाथ श्रीवास्तव द्वारा, और अन्य अनेक विद्वानौं द्वारा, ''अ'-लोप' पर लेख मौजूद हैं। इसके पूर्व कि मैं इस पर आगे बात करूँ, मैं इस ओर ध्यान दिलाना चाहता हूँ कि विचाराधीन 'अ', अर्थात् भाषा-वैज्ञानिकौं का ə= schwa वस्तुतः हिब्रू shewa से उद्भूत है और किसी हिब्रू अक्षर पर shewa इस लिए लगाते हैं कि उसमैं स्वर का अभाव सूचित हो। इस प्रकार shewa हल्मात्रता का सूचक है। इस बात को ध्यान मैं रखने से आगे की चर्चा मैं मदद मिलेगी।

कुल मिला कर ''अ'-लोप' का सारा सिद्धान्त इस प्रश्न के इर्दगिर्द केन्द्रित है: वास्तविक शब्द 'दण्ड' है कि 'दण्ड्'?

''अ'-लोप' की समस्या यह मानने से बनती है कि लिखा 'दण्ड' जाता है और पढ़ा 'दण्ड्' जाता है। इस सन्दर्भ मैं इस स्थापना के पीछे जो 'हिंदी स्वनिकी' बतायी जाती है वह वस्तुतः 'उर्दू स्वनिकी' है। 'उर्दू स्वनिकी' शायद मैंने ग़लत कहा। मेरी जानकारी मैं 'उर्दू स्वनिकी' जैसी कोई चीज़ 'हिंदी स्वनिकी' से अलग नहीं है। यह मैं ऊपर कह भी आया हूँ। जिसे 'उर्दू स्वनिकी' कहा जा सकता है वह वस्तुतः 'उर्दू छन्दःशास्त्र' है। यौं वह भी फ़ारसी का छन्दःशास्त्र है जो अरबी के छन्दःशास्त्र को कुछ सरल कर के बनाया गया है किन्तु इससे हमैं क्या प्रयोजन; हम उसे उर्दू का ही छन्दःशास्त्र कहैंगे।

प्रायः 'उर्दू छन्दःशास्त्र' की पुस्तकैं इस सूचना से प्रारम्भ होती हैं कि दो अक्षरौं से लिखा जाने वाला शब्द, जिसे 'सबब (= रस्सी)' कहते

हैं, और तीन अक्षरों से लिखा जाने वाला शब्द, जिसे 'वतद (= खूँटा)' कहते हैं, ये दो इस छन्दःशास्त्र की जड़ मैं हैं।[36] 'सबब' के दो भेद हैं, (1) 'सबब+ए+ख़फ़ीफ़ (= हल्का सबब)' जो 'लघु, हल्मात्र' का क्रम है, और (2) 'सबब+ए+सक़ील (= भारी सबब)' जो 'लघु, लघु' का क्रम है; उदाहरण के लिए 'कल्', 'किल्', और 'कुल्', 'सबब+ए+ख़फ़ीफ़' हैं और 'कल', 'किल', और 'कुल', 'सबब+ए+सक़ील'। उर्दू काव्यशास्त्र 'सक़ील' से बहुत घबराता है और फलतः 'भारी सबब' हिंदी से जोड़ा गया है, अर्थात् 'सरस उच्चारण' रुत् तो उर्दू का है और 'कटु उच्चारण' रितु हिंदी का। उर्दू की सरसता और हिंदी की नीरसता के समर्थन मैं यह तर्क पिछली दो शताब्दियों से दिया जाता रहा है।

ठीक ऐसा ही 'वतद' के साथ है: 'वतद+ए+मज्मूअ़ (= सन्तत वतद)', जैसे 'दकन्' और दूसरा 'वतद+ए+मफ़्रूक़ (= असन्तत वतद)', जैसे 'राम'। पाठकों को यहाँ यह जानना आवश्यक है कि 'राम' की उर्दू वर्तनी के अनुसार इसमैं तीन वर्ण लिखे जाते हैं, 'रे' जो 'गतिमान्' है और 'र' पढ़ा जायेगा, 'अलिफ़', जो 'गतिहीन' है और 'आधा 'अ'', या 'हलन्त अ' (जिसे चाहैं तो अ˘ से बता लैं) पढ़ा जाना चाहिए, और 'मीम', जो 'गतिमान्' है और 'म' पढ़ा जायेगा; अर्थात् 'राम = र + आधा अ + म = र अ˘म' की ही वर्तनी उर्दू मैं स्वीकार्य है। इस वर्तनी के अनुसार आक्षरिक विभाजन 'र अ˘म' का है, और इस आक्षरिक विभाजन की पुष्टि हेतु 'शुद्ध लेखन' मैं 'र' और 'अ˘' के बीच आक्षरिक विभाजन-चिह्न (=syllabicity mark) 'हम्ज़0' भी लिखना चाहिए जो कोई लिखता नहीं है।

'र अ˘म' का उच्चारण ठीक वैसा ही होगा जैसा उर्दू शब्द 'ह़ल्क़0' का होता है क्यौंकि यह माना जाता है कि 'ह़ल्क़0', जिसका उच्चारण हम 'हल्क़ा' करते हैं, मैं 'क़ पर आ का मात्रा चिह्न' नहीं है बल्कि 'क़ाफ़ पर फ़त्ह़0 की आवाज़' है, अर्थात् 'क़् मैं अ, और इस प्रकार कुल मिला कर क़' है।

उर्दू वर्तनी मैं ह्रस्व और दीर्घ स्वरों की कोई गुंजायिश नहीं है क्यौंकि स्वर होते ही नहीं हैं। 'आ' की मात्रा का समतुल्य वहाँ 'अ अ˘' है,

[36]यहाँ यह स्मरण करना अप्रासङ्गिक न होगा कि उर्दू काव्यशास्त्र कविता को एक तंबू के रूप मैं देखता है।

<u>प्रत्येक 'आ' 'अ अ˘ ' है</u>। इस प्रकार **सनमा** का उच्चारण **सनम अ˘** होना चाहिए जो **अबदन्** के समतुल्य हो; अर्थात् जिस प्रकार **अबदन्** मैं 'ह्रस्व अ', 'ह्रस्व अ की सहायता प्राप्त ब', और 'ह्रस्व अ की सहायता प्राप्त द' के बाद 'ह्रस्व अ की सहायता से वञ्चित न' पढ़ा जाता है, उसी प्रकार **सनमा** मैं भी 'ह्रस्व अ की सहायता प्राप्त स', 'ह्रस्व अ की सहायता प्राप्त न', और 'ह्रस्व अ की सहायता प्राप्त म' के बाद 'ह्रस्व अ की सहायता से वञ्चित अ' पढ़ा जाना चाहिए।
यही बात 'मदनी' के साथ है, 'न' मैं ' 'ई' का मात्रा चिह्न' नहीं है, बल्कि वह **मदनिइ˘** है जो **मदनिय्** के समतुल्य है।
मर्दुम, जिसमैं देवनागरी 'द' से 'द्' पहचानती है और उसको 'उ' को समर्पित करते हुए उसमैं 'उ' का मात्रा-चिह्न लगाती है, उर्दू वर्तनी के अनुसार यौं समझा जाता है कि 'द्' को 'उ' की 'गति' दी गयी है। यदि देवनागरी 'द' से 'द्' नहीं पहचानती है और 'द' लिखने मात्र से उसका 'अ' को समर्पण स्वतःसिद्ध है तो फिर 'द' मैं 'उ' का मात्रा-चिह्न कैसे लग सकता है?
दोस्त, जैसा कि पहले इशारा किया जा चुका है, उर्दू वर्तनी के अनुसार यौं समझा जाता है कि 'द्' को 'उ' की 'गति' दी गयी है और फिर 'गतिहीन वाव' है; आप इसे **दुउ˘स्त्** या **दुव्स्त्** पढ़ैं, यही सिद्धान्त है।
<u>प्रत्येक 'आ' 'अअ˘' है</u>,
<u>प्रत्येक 'ई' 'इइ˘' है</u>,
<u>प्रत्येक 'ऊ' 'उउ˘' है</u>।
यही कारण है कि 'ए' और 'ओ' की सत्ता नहीं है और 'दोस्त' उच्चारण 'मजहूल' अर्थात् अज्ञानियौं का उच्चारण है जब कि 'दूस्त' उच्चारण 'मअरूफ़' अर्थात् ज्ञानियौं का उच्चारण है। 'शेर (= व्याघ्र)' का उच्चारण जब ज्ञानी करते हैं तो उसे 'शीर' पढ़ते हैं। 'शीर (= व्याघ्र)' और 'शीर (= दूध)' का ज्ञानियौं का उच्चारण एक ही है।

ये शब्द 'विदेशी' भले हौं, 'शेर' और 'दोस्त' उच्चारण हमारे देसी उच्चारण नहीं हैं; ये ही मूल उच्चारण फ़ारसी मैं थे। अरबी लेखन-प्रणाली मैं 'दोस्त' लिखना सम्भव ही नहीं था; जो लिखना सम्भव था

उसे अरब विजेता केवल 'दूस्त' पढ़ सकते थे इसलिए 'दूस्त' उच्चारण ज्ञानियौँ का उच्चारण है और फ़ारसी का मूल उच्चारण 'दोस्त' अज्ञानियौँ का उच्चारण है।
अरबी लिपि फ़ारसी भी ठीक नहीँ लिख सकती थी।
भारत मैं अरबी लिपि का प्रवेश अरबौं ने नहीँ तुर्कौं ने कराया है। इसलिए हमारे यहाँ अभी तक मध्य-एशिया के 'शेर' और 'दोस्त' मौजूद हैं।[37]

आप जानना चाह सकते हैं कि फिर 'राम', जिसका उच्चारण मान लीजिए कि 'राम्' हो रहा है, आख़िर उर्दू मैं कैसे लिखा जायगा? यदि आप उर्दू लिपि के सिद्धान्त के अनुसार चलैंगे तो कभी नहीँ लिखा जा सकेगा क्यौंकि फिर भी वह 'राम = र + आधा अ + आधा म = र अ॒ म्' ही रहेगा और उसका उच्चारण वैसे ही होना चाहिए जैसे 'क़ल्ब्' का होता है, या 'हल्ल्' का होता है। किन्तु व्यवहार की बात दूसरी है।
किसी भी भारतीय भाषा के शब्द उर्दू मैं सिद्धान्त के अनुसार नहीँ, व्यवहार के अनुसार लिखे जाते हैं।

ग़लत सिद्धान्त बनाने और फिर (उस ग़लत) सिद्धान्त और व्यवहार के अन्तर को न समझने के नाते 'आह' साहब ने देवनागरी मैं जो 'दोष' निकाले हैं, उनकी झलक मैं दे चुका हूँ। ग़लत सिद्धान्त बनाने और फिर (उस ग़लत) सिद्धान्त और व्यवहार के अन्तर को न समझने के नाते हिंदी और संस्कृत के बारे मैं उर्दू के विद्वानौं मैं क्या समझ है, इसका एक और उदाहरण दे कर मैं इस प्रकरण को समाप्त करता हूँ।

> ... लफ़्ज 'जल' उर्दू और हिंदी दोनौं मैं राइज है। लेकिन बनारस को 'वारनासी' बोलने वाला महापुरुष मुँह बिगाड़ कर इसे 'ज ल' कहेगा।[38]

[37]समय के साथ ज्ञान और अज्ञान मैं कुछ परस्पर विनिमय हुआ है और ईरानी (किन्तु अफ़ग़ानी नहीँ) 'शीर' और 'दूस्त' बोलने लगे हैं।

[38]आहंग + ए + शेर, अबू जफ़र अब्दुल् वाहिद; उर्दू अकाडमी आन्ध्रप्रदेश, हैदराबाद; पृ 15

'वारनासी' बोलने वाले महापुरुषों से बहस को दूर ही रखना अच्छा होगा।

1.4 देवनागरी लेखन-पद्धति

यहाँ मैं बहुत संक्षेप में देवनागरी लेखन-पद्धति के बारे में अपनी कुछ बातें रखना चाहता हूँ। इसे एक क्षेपक मानना चाहिए।

मुझे इसका इहसास है कि इनके विवेचन के लिए अधिक विस्तार, बहुत से और प्रमाण, और लेखन-विद्या (graphology) की दृष्टि से लंबी बहस की आवश्यकता है, किन्तु यहाँ इन सब के लिए अवकाश सीमित है। शायद फिर कभी।

अब हमें हिंदी में ऐसे विश्लेषणकर्ता मिल जायेंगे जो 'राम' को 'रअम' लिखने का समर्थन करेंगे; देवनागरी के 'अल्फ़ाबेटाइजशन' का यही तर्क-सङ्गत अर्थ है। सुनता हूँ, तमिल में ऐसा प्रयास प्रारम्भ हो चुका है।

जैसा कि इस आलेख में कहा जा चुका है, अरबी वर्णमाला हल्मात्रीय (consonantal) वर्णमाला है और उसमें स्वरों के लिए कोई स्थान नहीं है। देवनागरी वर्णमाला आक्षरिक वर्णमाला (alphasyllabary) कहलाती है। मेरे मित्र अभिकलन-विशेषज्ञ विनीत चैतन्य इसे 'पोस्ट-अल्फ़ाबेटिकल' कहना पसंद करते हैं।

वर्ण-समाम्नाय का उपदेश करते समय ही यह स्पष्ट कर दिया जाता है कि ह-कारादिष्वकार उच्चारणार्थः, अर्थात् 'क' वस्तुतः 'क्' है किन्तु उच्चारणार्थ उसमें 'अ'- कार मिला हुआ है। यदि यह सामान्य जन को भी विदित न होता तो संयुक्ताक्षरों में, जैसे 'क्ल' में, 'क' पूरा क्यों लिखा जाता रहा है और क्यों इधर कुछ दिनों से ही 'क्‍ल' जैसा लिखने का समर्थन होने लगा है? देवनागरी लिपि में लेखन का एक तर्क है; विना उस तर्क की समीक्षा किये उसकी प्रशंसा या निन्दा करना व्यर्थ है।

आजकल देवनागरी की वर्णमाला अ से शुरू हो कर क्ष, त्र, ज्ञ तक जाती है। पहले यह अ से शुरू हो कर क्ष तक जाती थी। यही अ क्ष-माला देवी सरस्वती के हाथ में दिखायी जाती है।

क्ष संयुक्ताक्षरों के सङ्केत के लिए है।

इन सबमें अ को सर्वाधिक महत्त्व प्राप्त है। इसे 'प्राकृतिक स्वर'

(natural vowel, या *princeps vocalium*) के नाम से कुछ अलग महत्त्व पश्चिमी भाषा-विज्ञान मैं भी प्राप्त रहा है [39] किन्तु मैं इन सब बातौं को यहाँ न उठाऊँगा; मुझे सिर्फ़ इतना कहना है कि 'ऐतरेय आरण्यक' के अनुसार सभी वाणी अ ही है। [40]

अ के विना कोई वर्ण उच्चरित नहीं हो सकता। सभी स्वर, सभी व्यञ्जन, अ के विकार माने गये हैं।

देवनागरी इसलिए क मैं क्+अ नहीं मानती। वह 'अल्फ़ाबेटिकल' नहीं है।

किन्तु देवनागरी क से क् और क दोनौं की सूचना मानती है। इसलिए मात्रा-चिह्न पूरे वर्ण-चिह्न पर लगते हैं, आधे वर्ण-चिह्न पर नहीं लगते। देवनागरी इसलिए कि मैं क्+इ नहीं मानती। देवनागरी यह मानती है कि कि मैं क्, जिसकी सूचना वह क से देती है, का उच्चारण इ स्वर की सहायता से होता है; पतञ्जलि के शब्दौं मैं, "इ का क् से प्रश्न है, 'तुम किसकी हो?', और क् का इ को उत्तर है, 'मैं तुम्हारी हूँ' "। क् का इ के प्रति समर्पण कि से जताया जाता है।

इ का मात्रा-चिह्न इसलिए पीछे लगता है कि कि के उच्चारण मैं क् पीछे की ओर खिँचता महसूस होता है। की के उच्चारण मैं क् आगे की ओर खिँचता महसूस होता है, इसलिए ई का मात्रा-चिह्न आगे लगता है।

ऐसा ही अन्य स्वरौं के मात्रा-चिह्नौं के साथ समझना चाहिए।

मात्रा-चिह्नौं के आधार पर, चाहने पर हम इस लेखन को 'चित्रात्मक' (pictographic) भी कह सकते हैं।

संयुक्ताक्षरौं की जहाँ तक बात है, शुक्र और शुल्क मैं देखा जा सकता है कि क, जो क् भी बताता है, पूरा लिखा गया; र आधा।

सिद्धान्त सम्भवतः यहाँ भी वही है: र का क् से प्रश्न है, 'तुम किसकी हो?', और क् का र को उत्तर है, 'मैं तुम्हारी हूँ'।

जैसे कि मैं इ के अस्तित्व का सङ्केत-मात्र है, वैसे ही शुक्र और शुल्क मैं र और ल के अस्तित्व का सङ्केत-मात्र है।

---

[39] Two thousand years and more before the sound-spectrograph, 'a-sound' was not an unreasonable substitute for the fiction of a pure 'glottal spectrum'. —Phonetics in Ancient India, W. Sidney Allen, Oxford University Press, 1953; page 60, also fn 6 on that page.

[40] अकारो वै सर्वा वाक्—ऐतरेय आरण्यक, 2-3-6

पतञ्जलि की उपमा उधार लैं तो अक्षरौं के इस 'अर्धनारीश्वर-रूप' मैं मुख्य लेखन 'स्त्री-तत्त्व' का है।
' "र"-कार' एक अपवाद है।
शुक्र और प्राण मैं 'र' पूरा उच्चार्य और आधा ही लेख्य है जबकि सर्व मैं वह आधा ही उच्चार्य और आधा ही लेख्य है।
कुछ और अपवाद भी हैं। सम्भवतः सारे नासिक्य अपवाद हैं; तन्मय मैं 'न' आधा ही उच्चार्य और आधा ही लेख्य है जबकि आह्निक मैं वह पूरा उच्चार्य और आधा ही लेख्य है।
देवनागरी वर्णमाला के लेखन मैं ऊर्ध्वाधर क्रम, अधरोर्ध्व क्रम, वामदक्षिण क्रम, सभी अपनाये जाते हैं।
देवनागरी वर्णमाला के लेखन को CV क़िस्म के रैखिक विश्लेषण से शायद ही हम समझ सकैं।
मैंने इस आलेख की तैयारी मैं जिस सॉफ़्टवेयर का प्रयोग किया है उसका नाम 'देवनाग' है; इसके साथ मैंने 'टीपा' और 'टेक्स्टकॉम्प' जैसे कुछ और सॉफ़्टवेयर मिश्रित किये हैं। ये सब 'मुक्त सॉफ़्टवेयर' हैं। इस प्रकार मुझे क़, ख़, ग़, ज़, फ़ सुलभ हैं किन्तु उतने संयुक्ताक्षर सुलभ नहीं हैं जितने एक दूसरे मुक्त सॉफ़्टवेयर, 'संस्कृत' मैं उपलब्ध हैं। देवनागरी लेखन के सभी संयुक्ताक्षर देखे जाँय तो उसमैं अन्तर्निहित रूपङ्करण के कुछ सिद्धान्त सामने आ सकैंगे।

आजकल लोग कहने लगे हैं कि शताब्दियौं से चली आ रही यह लेखन-पद्धति बदली जानी चाहिए; विना पूरी वैज्ञानिक बहस के, सिर्फ़ कुछ फ़ांट-निर्माताऔं की काहिली के चलते, इसे नहीं किया जाना चाहिए।
इस क्षेपक के बाद मैं प्रस्तुत विषय पर लौटता हूँ।

1.5 'हलन्त'

'आह' साहब के तर्क से तो संस्कृत मैं और हिंदी मैं या किसी भी ऐसी भाषा मैं जो देवनागरी लिपि मैं लिखी जाती रही है, हलन्त (= व्यञ्जनान्त) शब्दौं का अभाव ही रहेगा। तकनीकी लेखन मैं, जैसे कि व्याकरण ग्रन्थौं मैं, यह प्रकट करने के लिए कि इस व्यञ्जनबोधक लिपिचिह्न के उच्चारण मैं स्वर की सहायता नहीं उपलब्ध है, एक विशेष

चिह्न नीचे जोड़ देने की परम्परा रही है, अर्थात् यदि हम 'सुप्' लिखते हैं तो इसका अर्थ यह है कि अन्तिमाक्षर 'प' के उच्चारण में 'अ' की सहायता नहीं प्राप्त है। यही नियम संस्कृत लिखने में निरपवाद रूप से लगाया जाता है।

इस विशेष चिह्न को एक बहुत बड़ा वर्ग 'हलन्त' के नाम से पुकारता है और अली सरदार जाफ़री सलाह देते हैं कि "ज़बर की ध्वनि को ख़ारिज करने के लिए उसके नीचे 'हलन्त' लगा देना चाहिए"। इसलिए शायद पहले इस 'हलन्त' पर ही बात करनी चाहिए।

पाणिनीय व्याकरण की पारिभाषिक शब्दावली में सभी व्यञ्जनों के समुच्चय के लिए 'हल्', और सभी स्वरों के समुच्चय के लिए 'अच्' कहा जाता है । इस प्रकार किसी शब्द का अन्त यदि स्वर में होता है तो उसे 'अजन्त' कहते हैं और यदि किसी शब्द का अन्त व्यञ्जन में होता है तो उसे 'हलन्त' कहते हैं। उदाहरण के लिए 'राम' या 'हरि' 'अजन्त' शब्द हैं और 'चन्द्रमस्' या 'राजन्' 'हलन्त' शब्द हैं।[41] ज़ाहिर है कि यदि यह बताने के लिए कि शब्द का अन्त व्यञ्जन में हो रहा है, कोई विशेष चिह्न न लगाया जाय तो संस्कृत वाक्यों में अर्थ का अनर्थ हो सकता है; 'पठेत्' का अर्थ है 'वह पढ़े', 'पठेत' का अर्थ है 'तुम सब पढ़ो'। यही विशेष चिह्न 'हलन्त' कहलाने लगा है किन्तु संस्कृत लिखने में ही इसकी उपयोगिता है।

संस्कृत में 'पठेत्' और 'पठेत' का 'न्यूनतम युग्म (= minimal pair)' है। 'पठेत्' और 'पठेत' में अन्तर आवश्यक है।

किन्तु हिंदी लिखते समय यह नियम-पालन आवश्यक नहीं रहा है। हिंदी में 'कमल' और 'कमल्' जैसा कोई 'न्यूनतम युग्म' नहीं।

'न्यूनतम युग्म' की भूमिका किसी भी भाषा में केन्द्रीय है। 'कटना' और 'खटना' का न्यूनतम युग्म है, 'क' और 'ख' के अन्तर से बहुत फ़र्क़ है, इसलिए 'क' और 'ख' के लिए स्वतंत्र लिपिचिह्न आवश्यक हैं। अंग्रेज़ी-भाषियों को 'कटना' और 'खटना' एक जैसे सुनायी देते हैं; उनकी लिपि में 'क' और 'ख' के लिए स्वतंत्र लिपिचिह्न आवश्यक नहीं हैं और केवल 'क = k' से काम चलता है।

[41] 'अच्' और 'हल्' प्रत्याहार हैं; 'प्रत्याहार' माहेश्वर सूत्रों में दिये गये वर्ण-समाम्नाय से बनाये जाते हैं और उनका विशेष परिचय देना यहाँ मैं अनावश्यक मान कर छोड़ता हूँ।

यही बात फ़ारसी-भाषी के लिए सही है। फ़ारसी-भाषी को 'भाखा' और 'भाका' दोनौं ही एक जैसे सुनायी देते हैं। फ़ारसी-भाषी की लिपि मैं 'क' और 'ख' के लिए स्वतंत्र लिपिचिह्न आवश्यक नहीं हैं और केवल 'क = काफ़' से काम चलता है। इसलिए फ़ारसी-भाषी 'भाका' ही लिखता, पढ़ता और बोलता है।

उर्दू-भाषी 'भाखा' और 'भाका' मैं बख़ूबी अन्तर कर सकता है। जब उर्दू-भाषी 'भाका' लिखता, पढ़ता और बोलता है, तो वह केवल यह आग्रह कर रहा होता है कि उर्दू का सम्बन्ध भारत-भूमि से न जोड़ा जाय।

'हाथ' और 'सात' का क़ाफ़िया केवल उर्दू को अभारतीय बताने की कोशिश है।

चाहने पर, उर्दू मैं भी औसत व्रज-भाषी की तरह ही 'क्रिश्न' पढ़ा गया है। 'नज़ीर' अकबराबादी की पङ्क्तियाँ हैं:

> हैं शाह **नज़ीर** अब हर दम वह, जो हरि के नित बलिहारी हैं
> श्रीकृश्न कहो, श्रीकृश्न कहो, श्रीकृश्न बड़े अवतारी हैं॥

इसी प्रकार, पुनः नज़ीर की ही पङ्क्तियाँ हैं:

> ऐसा था बाँसुरी के बजैया का बालपन
> क्या क्या कहूँ मैं क्रिश्न कन्हैया का बालपन॥ [42]

ऊपर की पङ्क्ति मैं आया **कन्हैया** भी ध्यान देने योग्य शब्द है।

न तो देवनागरी मैं और न ही उर्दू मैं हिंदी के **कन्हैया** मैं आये 'न्' के स्पर्श उच्चारण हेतु कोई चिह्न अलग से है। देवनागरी मैं कारण यह हो सकता है कि (जहाँ तक मैं जानता हूँ) कोई न्यूनतम युग्म ऐसा नहीं जिसमैं 'तन्हाई' वाले 'न्' और 'कन्हाई' वाले 'न्' से अन्तर पड़ता हो।

एक भोजपुरी-भाषी को **अँगना** लिखने की भी ज़रूरत है, **अन्हराइल** लिखने की भी ज़रूरत है, (उर्दू का) **तन्हाई** लिखने की भी ज़रूरत है, और (संस्कृत का) **अंहस्** (= पाप) लिखने की भी ज़रूरत है।

[42]दुर्भाग्यवश डॉ नज़ीर मुहम्मद द्वारा सम्पादित 'नज़ीर ग्रन्थावली' (उत्तर प्रदेश हिंदी संस्थान द्वारा 1992 मैं प्रकाशित) मैं **क्रिश्न कन्हैया** की जगह **किशन कन्हैया** छापा गया है। इससे छन्द टूटता है, इस ओर ध्यान जाना चाहिए था।

भोजपुरी में भी मानक हिंदी की तरह तन्हाई और कन्हाई का समलेख्य भिन्नोच्चार्य युग्म मौजूद है।

इस प्रकार अनुस्वार, चन्द्रबिन्दु, अर्धोच्चार्य 'न', और स्पर्शोच्चार्य 'न', इन सबके लिए लिपिचिह्नों की आवश्यकता है जिनमें अनुस्वार, और चन्द्रबिन्दु हेतु चिह्न पहले से हैं किन्तु तन्हाई और कन्हाई के समलेख्य भिन्नोच्चार्य युग्म में भेदक लिपिचिह्न चाहिए।

क्या हम कन्हाई और तन्हाई जैसा कुछ लिखें? यह सुझाने के पीछे मेरा सोचना यह है कि कन्हाई में आक्षरिक विभाजन क न्हा ई का है और इस प्रकार न्हा के साथ 'आक्षरिकता-चिह्न (= syllabicity mark)' लगा कर हम इस बात को व्यक्त कर सकते हैं; दूसरी ओर तन्हाई में आक्षरिक विभाजन तन् हा ई का है और इसके लिए कोई विशेष चिह्न लगाने की जरूरत इसलिए नहीं कि हम कन्त और तन्मय आदि से ऐसे आक्षरिक विभाजन को पहले से पहचानते हैं।

यही बात 'र' के साथ है। हमें पर्यावरण भी लिखना है जिसका आक्षरिक विभाजन पर् या व र ण है और जिसमें 'र' का आधा उच्चारण मौजूद है किन्तु हमें (व्रज) भाषा का त यौं ना भी लिखना है जिसमें 'र' स्पर्शोच्चार्य है।

मैंने कुछ पुस्तकों में तऱ्यौना और पऱ्यौ लिखा देखा है; मैं समझता हूँ कि स्पर्शोच्चार्य 'र' के लिए ऐसा लिखना ठीक माना जाना चाहिए। मेरा सुझाव है कि इस पर विचार होना चाहिए। किन्तु यहाँ मैं इस बात को इसलिए भी लाया कि बात अकेले 'नज़ीर अकबराबादी' तक न सीमित मान ली जाय। मुहसिन काकोरवी के जिस क़सीदे का मैंने उल्लेख किया है उसमें यह पङ्क्ति भी है:

> राज0 इंदर है परीख़ान0+ए+मय का पानी
> नग़म0+ए+नय का सिरीकिश्न कन्हैया बादल॥

चाहने पर, किन्तु चाहने पर ही, उर्दू में 'क्रिश्न' और 'कन्हैया' पढ़े जा सकते हैं यद्यपि वे लिखे नहीं जा सकते क्योंकि सिद्धान्ततः उर्दू में व्यञ्जन-युग्म को शब्द के आदि में लिख सकने की कोई सम्भावना नहीं है। इसलिए ब्राह्मण नहीं लिखा जा सकता और बरहमन या बर्हमन ही लिखा जा सकता है।

न चाहने पर, 'राजा' भी 'अन्त्याक्षर छोटी हे' से लिखा जायेगा;

ऊपर उद्धृत पङ्क्तियौं मैं मुहसिन काकोरवी ने 'राज0' लिखा है, सीधा-सादा 'राजा' नहीं।

संस्कृत और आधुनिक भारतीय भाषाऔं के बीच कई अन्तर हैं। उदाहरण के लिए संस्कृत मैं कभी 'ए' और 'ओ' ह्रस्व नहीं होते किन्तु प्राकृतौं मैं ह्रस्व 'ए' और ह्रस्व 'ओ' की सत्ता विद्यमान है।[43] यह फ़ारसी मैं भी होता है। किन्तु इसका अर्थ यदि यह लगाया जायगा कि आधुनिक भारतीय भाषाएँ 'फ़ारसी के प्रभाव से उत्पन्न' हैं तो यह इंशा अल्ला ख़ान, अब्दुल्ला बुख़ारी और इरफ़ान हबीब के उन कथनौं से भिन्न नहीं हो सकता जिनके अनुसार सारे सांस्कृतिक हस्ताक्षर भारतीयौं ने तुर्कौं के आने के बाद उनसे सीखे।

उर्दू की कोई अपनी लिपि नहीं है। उसे फ़ारसी वर्णमाला मैं कुछ लिपि-चिह्न बढ़ा कर बना लिया गया है। ये चिह्न 'ट, ठ, ड, ढ, ड़, ढ़' जैसी कुछ ठेठ भारतीय ध्वनियौं के उच्चारणौं के लिए बढ़ाये गये। महाप्राण ध्वनियौं ('ख', 'घ', 'झ', आदि) के लिए फ़ारसी वर्णमाला मैं वर्ण नहीं थे, उनके लिए कुछ लिपि-रूढियाँ निश्चित की गयीं। इस प्रकार हिन्दी-कुल की कुछ भाषाऔं को कुछ हद तक लिखना सम्भव हो सका।

फ़ारसी की भी कोई अपनी लिपि नहीं है। उसे अरबी वर्णमाला मैं कुछ लिपि-चिह्न बढ़ा कर बना लिया गया है। ये चिह्न "प', 'च', 'ग', जैसी ध्वनियौं के उच्चारणौं के लिए बढ़ाये गये जिनके लिए अरबी के उस रूप मैं लिपि-चिह्न प्राप्त नहीं थे जो वे अरब बोल रहे थे जिन्हौंने ईरान और मध्य-एशिया पर आक्रमण किया था। एक विशेष लिपि-चिह्न फ़ारसी के एक 'ज' से मिलते-जुलते किन्तु भिन्न उच्चारण के लिए बढ़ाया गया। इस प्रकार अरबी के अट्ठाईस[44] लिपि-चिह्न बढ़ कर फ़ारसी मैं बत्तीस लिपि-चिह्नौं की वर्णमाला बनाते हैं।

---

[43]और इसे बहुत पहले से शास्त्रकार जानते रहे हैं। 'वाणीभूषण' नामक छन्दःशास्त्रीय ग्रन्थ के प्रणेता का कहना है,ए ओ क्वचित्प्राकृतके लघू स्तः, अर्थात्, 'ए ओ प्राकृत भाषाऔं मैं कभी कभी लघु भी उच्चरित होते हैं'।

[44]वस्तुतः सत्रह ही, किन्तु यह एक अलग क़िस्सा है।

अरबी की भी कोई अपनी लिपि नहीँ है। उसे हिब्रू वर्णमाला मैं कुछ लिपि-चिह्न बढ़ा कर बना लिया गया है। ये चिह्न उन ध्वनियौं के उच्चारणौं के लिए बढ़ाये गये जिनके नाम भारतीयकरण के बाद हम 'से', 'ख़े', 'ज़ाल', 'ज़्वाद', 'ज़ोय' और 'ग़ैन' जानते हैँ। इस प्रकार हिब्रू के बाईस लिपि-चिह्न बढ़ कर अरबी मैं अट्ठाईस लिपि-चिह्नौं की वर्णमाला बनाते हैँ। हिब्रू से अरबी मैं यह अभिवृद्धि अरबी वर्णमाला के 'अबजद'-क्रम मैं सुरक्षित है। अबजद क्रम की वर्णमाला के प्रथम बाईस अक्षरौं का रहस्यात्मक अङ्कमान वही है जो हिब्रू वर्णमाला के कुल बाईस अक्षरौं का। यह मान 400 तक पहुँचता है। बाद मैं 'से = 500', 'ख़े = 600', 'ज़ाल =700', 'ज़्वाद = 800', 'ज़ोय = 900' और 'ग़ैन = 1000' का मूल्य निर्धारित कर अरबी तन्त्रविद्या 'दावा' का विकास हिब्रू तन्त्रविद्या 'कबाला' के आधार पर किया गया।

जो अन्तर है वह साफ़-साफ़ यह है कि अरबी वर्णमाला केवल व्यञ्जनौं से बनी है और स्वरौं का काम वर्णमाला के बाहर के कुछ चिह्नौं से लिया जाता है जो प्रायः लिखे नहीँ जाते और जिन्हैँ अनुमान से पढ़ना पड़ता है।

अन्तर यही है, उर्दू मैं जो लिखा नहीँ जाता उसे देवनागरी मैं लिख कर दिखाना पड़ता है।

'उर्दू लिपि'और देवनागरी लिपि मैं बुनियादी अन्तर यही है, उर्दू लिपि मैं स्वरौं के लिए कोई जगह नहीँ है जब कि देवनागरी लिपि मैं मात्रा-चिह्नौं का पूरा ज़ख़ीरा है। उर्दू मैं 'काफ़, ते, बे' लिख दिया गया, अब वह 'कत्ब' ('कातिब=लेखक' का बहुवचन) है या 'कुतुब' ('किताब=पुस्तक' का बहुवचन) यह तय करना पाठक का काम है।

अन्तर यही है, उर्दू मैं जो लिखा नहीँ जाता उसे देवनागरी मैं लिख कर दिखाना पड़ता है।

ख़ाल खिँचवाई अ़बस़ ग़ुस्से मैं, ओ पर्द0-निशीँ;
क़ैस तो बअ़्द+ए+सज़ा, और भी उ़र्यॉं निकला॥

—रियाज़ ख़ैराबादी।

अधिकरण 2

उर्दू से देवनागरी में लिप्यन्तरण की कुछ समस्याएँ

क्यों कह गयी स़बा किø कटेगी ते˘री ज़बाँ,
सौसन ते˘री ज़बान की ठहरी अगर ग़लत़॥

—रियाज़ ख़ैराबादी।

उर्दू से देवनागरी में लिप्यन्तरण की कुछ समस्याएँ हैं। इनका एक कामचलाऊ समाधान हिंदी में बहुत पहले से चला आ रहा है और क़, ख़, ग़, ज़, फ़ देवनागरी में बढ़ा लिये गये हैं। जहाँ तक उर्दू शब्दों के उच्चारण की बात है, इससे अधिक की आवश्यकता नहीं है। अभी 1992 में 'नज़ीर ग्रन्थावली' सिर्फ़ इतने के भरोसे छापी गयी है।

किन्तु इसको उर्दूवाले हमेशा अपर्याप्त मानते रहे हैं और उनके इस असन्तोष को सहानुभूति पूर्वक समझने की चेष्टा हिंदी में कम ही की गयी है।

मैं एक उदाहरण देता हूँ। 'हाली' लिखते हैं:

इ़ज़्ज़त का भेद मुल्क की ख़िदमत में है छुपा
मह़मूद जान आप को गर है <u>अयाज़</u> तू॥
होती है सच की क़द्र पø बे-क़दरियों के बअ़द
इस के ख़िलाफ़ हो तो समझ उसको <u>शाज़</u> तू॥

इसमें गड़बड़ी यह है कि अयाज़ का ज़ 'ज़े' से आया है जब कि शाज़ का ज़ 'ज़ाल' से। यदि हम इन शेरों को प्रचलित विधि से यों लिखते हैं:

> इज़्ज़त का भेद मुल्क की ख़िदमत में है छुपा
> महमूद जान आप को गर है अयाज़ तू॥
> होती है सच की क़द्र प० बे-क़दरियों के बअद
> इस के ख़िलाफ़ हो तो समझ उसको शाज़ तू॥

तो यह गड़बड़ी छिप जाती है। 'ज़ाल' से आये ज़ और 'ज़े' से आये ज़ में भारतीय उच्चारण की दृष्टि से कोई अन्तर नहीं है इसलिए ध्वन्यात्मक दृष्टि से यह क़ाफ़िया नहीं खटकता (और 'हाली' द्वारा ऐसा लिखने के पीछे तर्क भी यही है) किन्तु यह भेद न करना एक गम्भीर दोष है। यह एक गम्भीर दोष क्यों है इसे जाने-समझे विना उर्दू कविता से आप कभी परिचित नहीं हो सकते।

यह कहना कोई हल नहीं है कि ये अन्तर व्यर्थ के हैं और एक ही 'ज़' से काम चलाना चाहिए। देवनागरीकरण से कोई लाभ नहीं यदि ज़र्र0, जिसमें 'ज़' का आना 'ज़्वाद' से है, और जिसका अर्थ 'सौत' है, तथा ज़र्र0, जिसमें 'ज़' का आना 'ज़ाल' से है, और जिसका अर्थ 'धूलिकण' है, में अन्तर करने का माध्यम वह नहीं बन सकता।

किन्तु यदि ऐसा हो सकता है तो देवनागरी लिपि उर्दू शब्दों के लिए अधिक व्यावहारिक होगी क्योंकि उर्दू लिपि की अलग समस्याएँ हैं, 'इस का', और 'उस का' एक ही तरह लिखा जाता है। उर्दू लिपि की ऐसी समस्याओं को देवनागरी विवश हो कर हल करती ही रही है। मेरे एक मित्र, जो स्वयं उर्दू के कवि हैं, मीर की कविताओं का सरदार जाफ़री द्वारा सम्पादित संस्करण, जो दो लिपियों में है, इसलिए माँग कर ले गये कि उर्दू लिपि पढ़ने में यदि सन्देह हो तो देवनागरीकरण देख कर भ्रम मिटा लें।

मौलाना हाली से दिये गये उदाहरण में तो उर्दू वर्तनी ठीक-ठीक पढ़ने में सहायक है। किन्तु उर्दू वर्तनी बहुत सी जगहों पर ठीक-ठीक पढ़ने में बाधक भी है।

उर्दू में ऐसे सहायक चिह्न लिख कर देना, जो पाठक को पढ़ने में सहायता पहुँचा सकें, अर्धशिक्षितों का काम माना जाता है। अब कलियुग के

चलते नुक़्ते लिखे जा रहे हैं वर्ना पहले 'ज', 'च', 'ख़', 'ह' (= 'बड़ी हे') सब एक ही तरह लिखे जाते थे, इनमैं अन्तर करने के लिए नुक़्ते नहीं लगाये गये ऐसा कहने वाला 'नुक़्ताचीनी करने वाला = नुक़्ते ढूँढ़ने वाला' कहलायेगा।

जहाँ तक मात्रा-चिह्नौं की बात है, इनकी आवश्यकता केवल एक विदेशी भाषा, अरबी, के पढ़ने के लिए अनिवार्य मानी जाती है और इसीलिए फ़ारसी तथा उर्दू मैं मात्रा-चिह्नौं का नाम 'इअराब (= "अरब" का बहुवचन)' है। अरबी वर्णमाला मैं लाये गये फ़ारसी अक्षरौं के नाम ही उनकी दोयम हैसियत को बताते हैं; 'चे=च' का नाम है 'जीम+ए+फ़ारसी = फ़ारसी का "ज" ', 'गाफ़=ग' का नाम है 'काफ़+ए+फ़ारसी = फ़ारसी का "क" '। मिर्ज़ा बेदिल का जो दीवान अफ़ग़ानिस्तान से (1960 के बाद) छपा है उसमैं रदीफ़ 'चे=च' की ग़ज़लैं रदीफ़ 'जीम=ज' की ग़ज़लौं के साथ मिला कर छापी गयी हैं।

यही बर्ताव हिन्दी के स्थानीय वर्णौं के साथ उर्दू करती रही है; 'हाथ' और 'सात' का क़ाफ़िया ऐसे मिलाया जाता रहा है जैसे 'त' और 'थ' का उच्चारण एक ही हो और 'भाखा' को 'भाका' लिखना-बोलना आम रहा है।

इसका लाभ उठा कर समकालीन विद्वानौं ने पाण्डुलिपि-सम्पादन की जानीपहचानी बातौं को ऐसे पेश किया है जैसे वे अकेले ही इनसे जूझते हैं; उदाहरण के लिए प्रो गोपीचन्द नारंग ने 'अमीर ख़ुसरो' पर एक किताब लिखी है और उस की भूमिका मैं लिखा है कि जो पाण्डुलिपि उन्हें मिली उसमैं 'काफ़ (= क)' और 'गाफ़ (= ग)' एक ही तरह से लिखे गये थे, जब कि सच यह है कि उन्नीसवीं सदी तक की लिखाई मैं शायद ही कोई पाण्डुलिपि हो जिसमैं 'काफ़ (= क)' और 'गाफ़ (= ग)' एक ही तरह से न लिखे गये हौं।

सङ्क्षेप मैं इतना ही, कि उर्दू पढ़ने के लिए उर्दू पहले से आनी चाहिए। ठीक वैसे ही जैसे हिब्रू पढ़ने के लिए हिब्रू पहले से आनी चाहिए, या अरबी पढ़ने के लिए अरबी पहले से आनी चाहिए, या फ़ारसी पढ़ने के लिए फ़ारसी पहले से आनी चाहिए।

असली बात समझने के लिए श्री शम्सुर्रहमान फ़ारूक़ी के [1] ये वाक्य प्रासङ्गिक हैं।:

> पुराने ज़माने मैं न इअराब [2] (= मात्राचिह्न) का इहतिमाम (= ध्यान) था और न औक़ाफ़ (= विरामचिह्न) का, मैंने भी इनसे मुकम्मल इहतियाज़ (= बचाव) किया है।

फ़ारूक़ी साहब ने इस बात को 'शेर को कई तरह से पढ़ने की छूट' से जोड़ा है। इससे क्या तात्पर्य है, इसे हम एक सरल उदाहरण से अच्छी तरह समझ सकते हैं।

ग़ालिब की उर्दू कविता का सर्वाधिक महत्त्वपूर्ण संस्करण अर्शी साहब ने तैयार किया है। इसमैं प्रयत्नपूर्वक मात्राचिह्न, विरामचिह्न, और इज़ाफ़त के चिह्न भी दिये गये हैं। किन्तु अनेक ग़ालिबविद्, जिनमैं श्री शम्सुर्रहमान फ़ारूक़ी और प्रो ज्ञान चन्द्र जैन शामिल हैं, उनकी व्यवस्था मैं परिवर्तन करते रहे हैं। अली सरदार जाफ़री ने लिखा है:

> आम तौर से उर्दू लिखावट मैं मात्राचिह्नौं और मात्राऔं का रिवाज नहीं है। और इबारत अटकल से पढ़ी जाती है इसलिए दीवान-ए-ग़ालिब के विभिन्न संस्करणौं मैं कुछ इज़ाफ़तौं मैं विरोध मिलता है जो या तो दीवान सम्पादित करने वालौं ने जल्दी मैं लिख दी हैं या कातिब ने सजावट के लिए लगा दी हैं। मालिक राम ने विरामचिह्नौं के मुआमले मैं बड़े परिश्रम और सावधानी से काम लिया है लेकिन ऐराब [3] लगाने मैं उन्हौंने भी इतनी सावधानी नहीं बरती। मैंने विरामचिह्न ज्यौं के त्यौं रखे हैं लेकिन कुछ इज़ाफ़तौं के मुआमले मैं विरोध किया है। उदाहरण के लिए मालिक राम के यहाँ, और कुछ दूसरे संस्करणौं मैं, "जोश-ए-क़दह से बज़्म-ए-चराग़ाँ किये हुए" लिखा है। मैंने बज़्म की इज़ाफ़त बाक़ी नहीं

[1] 'इन्तिख़ाब+ए+उर्दूकुल्लियात+ए+ग़ालिब' (साहित्य अकादमी, 1993) की भूमिका से

[2] वर्तनी के स्तर पर यह वही शब्द है जो ऊपर अअराब लिखा गया था। जब इसका उच्चारण अअराब होता है तब इसका अर्थ है 'अरब लोग'; जब इसका उच्चारण इअराब होता है तब इसका अर्थ है 'मात्राचिह्न'।

[3] यह वही शब्द है जिसे मैंने अभी-अभी इअराब लिखा है।

रखी। इसी तरह "चश्म-ए-दल्लाल जिन्स-ए-रुसवाई" के बजाय मैंने "चश्म, दल्लाल-ए-जिन्स-ए-रुसवाई" लिखा है।

इससे प्रकट हो जाता है कि मात्राचिह्नौं, विरामचिह्नौं, और इज़ाफ़त के चिह्नौं की व्यवस्था करना पाठक की ज़िम्मेदारी है। कविता मैं इसका आलङ्कारिक उपयोग भी होता रहा है। यह आलङ्कारिक उपयोग जायसी ने बड़ी सफलता से किया है जिसका कुछ अनुमान 'पदमावत' पर डॉ वासुदेव शरण अग्रवाल की विद्वत्तापूर्ण टीका से लगाया जा सकता है। यह आलङ्कारिक उपयोग ग़ालिब ने भी किया है।

सामान्य गद्य मैं भी यह छूट उपलब्ध रहती है। इस छूट को ले कर बहुत सारे चुटकुले प्रचलित हैं। उन चुटकुलौं मैं तो मेरी कोई दिलचस्पी नहीं है किन्तु एक उदाहरण मैं अवश्य देना चाहता हूँ। ग़ालिब ने लिखा है:

जुज़ ग़ुबार+ए+गर्द0, सेर-आहंगी+ए+पर्वाज़ को?
बुल्बुल+ए+तस्वीर ओ दअ़वा^{य}+ए+पर-अफ़्शानी अ़बस़॥

अब चूँकि उर्दू मैं ग़ालिब के समय के बाद तक भी 'काफ़ (= क्)' और 'गाफ़ (= ग्)' एक ही तरह से लिखे जाते रहे हैं इसलिए यह शेर यौं पढ़ा गया है:

जुज़ ग़ुबार+ए+कर्द0-सैर, आहंगी+ए+पर्वाज़ को?
बुल्बुल+ए+तस्वीर ओ दअ़वा^{य}+ए+पर-अफ़्शानी अ़बस़॥

यह शेर इसी तरह अर्शी साहब के संस्करण मैं, नुस्ख़0+ए+हमीदिया मैं, और प्रो निसार अहमद फ़ारूक़ी द्वारा सम्पादित ग़ालिब की पाण्डुलिपि मैं दिया गया है। सबने ग़ुबार+ए+गर्द0, सेर-आहंगी को ग़ुबार+ए+कर्द0-सैर, आहंगी पढ़ा।

इन सब मैं किसी को इस शेर का अर्थ नहीं करना था इसलिए इस विचित्र पाठ की कोई जवाबदेही भी इनकी न बनी। प्रो ज्ञान चन्द्र जैन ने इसका अर्थ निकालने की चेष्टा अपनी पुस्तक 'तफ़्सीर+ए+ग़ालिब' मैं की और यह कह कर सन्तोष करने पर विवश हुए कि " 'ग़ुबार+ए+कर्द0-सैर' अच्छी तर्कीब नहीं"।

मुझे आश्चर्य है कि श्री शम्सुर्रहमान फ़ारूक़ी ने भी मेरे एक पत्र के उत्तर मैं अर्शी साहब के संस्करण मैं दिये गये पाठ का ही समर्थन किया

और 'ग़ुबार+ए+कर्दः-सैर' जैसी ऊलजलूल तर्कीब के पक्ष में यह तर्क दिया कि यह ग़ालिब की प्रारम्भिक अवस्था की रचना है।

ईं मय अज़ क़हत़+ए+ख़रीदारी कुहन ख़ा[व]हद शुदन।[4]

देवनागरीकरण में यह "पढ़ने की छूट" लगभग अनुपलब्ध है। देवनागरी में विरामचिह्न भले ही पहले न लगाये जाते रहे हों, 'इस का' और 'उस का' को एक तरह नहीं लिखा जा सकता।

2.1 उर्दू के लेख्य और उर्दू के उच्चार्य

पहले कह आये हैं कि उर्दू लिपि फ़ारसी लिपि में कुछ अक्षर बढ़ा कर बनायी गयी है और फ़ारसी लिपि अरबी लिपि में कुछ अक्षर बढ़ा कर। ऐसे शब्द भरे पड़े हैं जिनमें अरबी लिपि के वे अक्षर इस्तेमाल होते हैं जिनका उच्चारण फ़ारसी और उर्दू में अन्य अक्षरों के समान होता है। एक उदाहरण नीचे दिया जा रहा है।

देवनागरी में असीर लिखना होगा किन्तु यह उर्दू के पाँच शब्दों को बतायेगा:

1. अलिफ़+से+ये+रे = असीर = उच्च
2. अलिफ़+सीन+ये+रे = असीर = बन्दी
3. ऐन+से+ये+रे = असीर = धूल
4. ऐन+सीन+ये+रे = असीर = कठिन
5. ऐन+स्वाद+ये+रे = असीर = अंगूर की शराब

ऐसा इसलिए होता है कि अरबी के तीन अक्षर से, सीन, और स्वाद फ़ारसी और उर्दू में एक ही ध्वनि स को बताते हैं; इसी प्रकार अरबी

[4]ग़ालिब ने अपने फ़ारसी दीवान में लिखा है:
ता ज़ि दीवान-म किø सरमस्त+ए+सुख़न ख़ा[व]हद शुदन
ईं मय अज़ क़हत+ए+ख़रीदारी कुहन ख़ा[व]हद शुदन॥
[जिससे कि मेरे काव्यसंग्रह की मदिरा में मादकता और बढ़ जाय और मेरी कविता के नशे में लोग पूरी तरह डूब सकें, इसलिए मेरी काव्य-मदिरा इस कारण से पुरानी होती रहेगी कि इसके ग्राहकों का अकाल पड़ा रहेगा, और यह मेरे काव्यसंग्रह में अनास्वादित पड़ी-पड़ी अपनी मादकता में वृद्धि करती रहेगी॥]

के दो अक्षर ऐन और अलिफ़ फ़ारसी और उर्दू मैं एक ही ध्वनि अ को बताते हैं।

इस विषय मैं दो दृष्टिकोण हैं।

पहला दृष्टिकोण यह कि लेखन प्रणाली को ध्वन्यानुसारी होना चाहिए और उर्दू मैं भी एक ही तरह से इन शब्दौं को लिखना चाहिए। यह आग्रह ऐसा ही है जैसे यह कहा जाय कि घृणा को घ्रिणा लिखना चाहिए। इसके बावुजूद कि श्रीहर्ष जैसे महाकवि ने इस सम्भावना का काव्यात्मक उपयोग किया है, [5] और भाषाकाव्य ऋषि को रिखि लिखता रहा है, यह निश्चित है कि हिंदी मैं हम आज ऋ को रि लिखने के लिए तैयार न हौंगे। ठीक इसी प्रकार उर्दू मैं भी कोई इसके लिए तैयार न हुआ यद्यपि 'लिपि-सुधार' करने की इच्छा रखने वाले उर्दू मैं भी रहे हैं।

दूसरा दृष्टिकोण यह कि देवनागरी मैं कुछ और लिपिचिह्न बढ़ाये जाने चाहिए। हिंदी मैं यौं तो कई लोग क़, ख़ के भी ख़िलाफ़ रहे हैं और 'क़ातिल' को 'कातिल' तथा 'ग़ालिब' को 'गालिब' लिखते-बोलते रहे हैं किन्तु उनकी सङ्ख्या अधिक नहीं रही है। एक बार यह मान लेने पर कि देवनागरी मैं कुछ और लिपिचिह्न बढ़ाये जाने चाहिए, कुछ लोगौं का ध्यान इस ओर भी गया कि बात केवल उच्चारण तक सीमित नहीं है और ऐसे लिपिचिह्न इस्तेमाल किये जाने चाहिए जो उर्दू के समोच्चार्य किन्तु भिन्नलेख्य शब्दौं को देवनागरी मैं भी भिन्नलेख्य बनाये रखैं। इस सिद्धान्त के अनुसार ऊपर दिये गये उदाहरण मैं असीर शब्द देवनागरी मैं भी पाँच अलग वर्तनियौं के साथ लिखा जायगा। मैं इसी पक्ष का समर्थक हूँ।

किन्तु यह काम आसान नहीं है। वस्तुतः भाषावैज्ञानिकौं की राय इस पर ली जानी चाहिए और जिस प्रकार रोमन को आधार बना कर International Phonetic Alphabet बनी है उसी प्रकार देवनागरी को आधार बना कर, कम-अज़-कम भारतीय भाषाऔं के लिए एक 'अन्तर्भारतीय देवनागरी' बननी चाहिए। संयोग से यह काम जिन लोगौं ने कभी-कभार उठाया उन्हैं भाषावैज्ञानिकौं का सहयोग प्राप्त नहीं था। यह काम अभी होना है।

महात्मा गाँधी अन्तर-राष्ट्रीय हिन्दी विश्वविद्यालय ने एक महत्त्वाकाङ्क्षी

[5] 'अधारि पद्मेषु तदङ्घ्रिणा घृणा...' (नैषधीयचरित; 1.20)। यहाँ 'घृणा' और 'घ्रिणा' के सम उच्चारण के नाते एक पादान्तयमक का आभास होता है।

परियोजना 'दीप (=DIPA = Devanāgarī-based International Phonetic Alphabet)' हाथ मैं ले रखी है जिस पर कार्य प्रारम्भिक अवस्था मैं है।

इसके पहले तक जो हल निकाले गये हैं उन पर एक नज़र डालते हैं।

2.2 'ऐन' का अक्षर

सर्वाधिक ध्यान 'ऐन' पर गया है और मुद्द'आ लिखा जाता है जैसा कि अली सरदार जाफ़री द्वारा सम्पादित दीवान+ए+ग़ालिब मैं है। यह Steingass से सीधे उठाया गया है जहाँ इसे mudda'ā लिखा गया है। इस पथ के अनुयायी बहुत हैं किन्तु इसकी ओर ध्यान नहीं गया है कि रोमन मैं तो " ' " को 'ऐन' का प्रतिनिधि माना गया है अतः यदि 'का=क्+आ' के लिए kā लिखा जाता है तो " '+आ" के लिए 'ā लिखा जाना ठीक है किन्तु देवनागरी मैं मुद्द'आ लिखना वैसा ही है जैसे 'उसका' के लिए 'उसक्आ' लिखना क्यौंकि मुद्द'आ मैं जो 'आ' है वह स्वर 'आ' का मात्रा-चिह्न है न कि स्वर 'आ' स्वयं। इस पद्धति की वास्तविक अक्षमता वा'दा जैसे लिप्यन्तरण मैं दीखती है; Steingass मैं यह wa'da है जो बनाये गये सिद्धान्त के अनुकूल है जब कि वा'दा लिखने मैं 'व' के बाद मात्रा-चिह्न लगा दिया गया है। इसका सीधा कुपरिणाम यह है कि हिन्दी का पाठक यह समझेगा कि वा'दा मैं 'व' और 'ऐन' को मिला कर 'वा' वैसे ही बना लिया गया है जैसे वापिस मैं 'व' और 'अलिफ़' को मिला कर 'वा' बना लिया जाता है। उर्दू मैं ऐसा करना एक भारी दोष है; मात्रा का काम 'अलिफ़' से ले सकते हैं किन्तु 'ऐन' से कभी नहीं।

मैं एक उदाहरण देता हूँ।

सरदार जाफ़री के रूपान्तरण मैं पहले था:

> की मेरे क़त्ल के ब'अद उसने ज़फ़ा से तौबा
> हाय उस ज़ूद-पशेमाँ का पशेमाँ होना॥

जिसमैं ब'अद Steingass के सिद्धान्त से सही लिखा गया था। फिर राजकमल के संस्करण मैं इसे 'ठीक' कर के बा'द किया गया और इस प्रकार एकाध जगह जो भूल से सही लिख दिया गया था, उसे उसी भ्रमजाल मैं डाल दिया गया जिसकी ओर मैंने अभी इशारा किया।

दूसरा विकल्प 'अ' के नीचे बिन्दी लगाने का है। मुद्रण-प्रयास यह रहा है कि 'अ' के नीचे बिन्दी लगाने के बाद वह ऐसा दिखे जैसा 'फ' के नीचे बिन्दी लगाने के बाद 'फ़' दिखता है। इससे यह प्रतीत होता है कि 'ऐन' का उच्चारण कुछ प्रयास-पूर्वक 'अलिफ़' के उच्चारण से भिन्न किया जाना चाहिए। इसका कुछ पालन अलीगढ़ी शिक्षा मैं किया जाता रहा है और " 'ऐन' ज़रा ज़्यादा गाढ़ी हो गयी है" [6] की सीख 'सही उर्दू' बोलने की कोशिश करने वाले को बराबर मिलेगी। किन्तु यह 'कम गाढ़ी किन्तु गाढ़ी ऐन', जिसे अरबी उच्चारण समझ कर प्रोत्साहित किया जाता है, अस्मिता की उसी खोज से उपजी है जिससे अब 'ख़ुदा हाफ़िज़' की जगह 'अल्लाह हाफ़िज़' कहा जाने लगा है, न केवल भारतीय अपितु मध्य-एशियाई अतीत से अपने को काट कर 'शुद्ध' अरबी संस्कृति का उत्तराधिकार अपनाने की लालसा। इसका उर्दू भाषा, संस्कृति, और साहित्य से कोई सम्बन्ध नहीं।

'ऐन' की कठिनाई के एक दूसरे स्वरूप को हम शम्‌अ़˘ [7] (= मोमबत्ती) से समझ सकते हैं; इसकी वर्तनी 'शीन, मीम, ऐन' है। इसका उच्चारण अब उर्दू मैं शमा हो रहा है और जब अली सरदार जाफ़री जैसे लोग प्रयत्न-पूर्वक लिप्यन्तरण करते हैं तो इसका लिप्यन्तर शम्'अ करते हैं, जिसका अर्थ यह है कि 'ऐन' के चिह्न " ' " को आधा पढ़ कर "अ" जोड़ना है और इस प्रकार 'कम गाढ़ी किन्तु गाढ़ी ऐन' का उच्चारण एक अनिवार्यता है। वास्तविकता यह है कि यहाँ 'ऐन' अन्त मैं आया है और इसलिए इसका उच्चारण यदि हो भी तो ऐसा होना चाहिए कि न होने के बराबर हो; ठीक यह है कि शम् पढ़ा जाय। ऐसा न करने पर ग़ालिब का यह शेर:

> रुख़+ए+निगार से है सोज़+ए+जाविदानी+ए+शम् अ़˘
> हुई है आतश+ए+गुल, आब+ए+ज़िन्दगानी+ए+शम् अ़˘
> ॥

छन्द मैं ठीक नहीं उतरेगा।

'ऐन' का अरबी मैं जो भी उच्चारण रहा हो, मध्य-एशियाई फ़ारसी, और वहाँ के प्रभाव के नाते भारतीय फ़ारसी तथा उर्दू, मैं इसका उच्चारण

[6] राही मासूम रज़ा के 'टोपी शुकला' से।

[7] 'हलन्त अ़' के लिए अ़˘ का चिह्न चुना गया है। इस पर चर्चा इस आलेख मैं आगे है।

'अलिफ़' से अभिन्न है। पहले शुद्धता का आग्रह प्रबल नहीं था और उच्चारण के आधार पर 'ऐन' को 'अलिफ़' के समतुल्य ही व्यवहृत किया जाता था। मैं एक उदाहरण देता हूँ जिससे यह स्पष्ट होगा कि मैं क्या कहना चाहता हूँ:

जह्र पर्हेज हो गया मुझको
दर्द दर्माँ से अल्-मुज़ाफ़ हुआ॥

यह शेर 'आतश' लखनवी का है जो उर्दू के बड़े कवियों में गिने जाते हैं और जिनके कुछ ऐसे भाषा-प्रयोगों को ले कर उनकी आलोचना भी होती रही है। इस शेर में आया शब्द 'अल्-मुज़ाफ़' वस्तुतः 'अल्-मुज़ाअफ़' है और इस प्रकार यहाँ 'ऐन' गिरा कर उसे 'अलिफ़' के बराबर माना गया है जिससे वह हिंदी के सामान्य उच्चारण-नियम के अनुसार 'ज़ा' के 'आ' में मिल गया है।

मुहम्मद हुसैन आज़ाद, जिन्होंने यह उदाहरण दिया है और अपनी आपत्ति दर्ज की है, स्वीकार करते हैं कि "जनसाधारण 'अल्-मुज़ाअफ़' को 'अल्-मुज़ाफ़' ही बोलते हैं"।

मैं एक और उदाहरण दे कर इस प्रसङ्ग को समाप्त करता हूँ। 'नाजी' की एक ग़ज़ल के प्रारम्भिक दो शेर हैं:

सैद हो कर छूटना, टुक दिल को है इश्काल सा
बेतरह रोपा है मुँह पर ज़ुल्फ़ ने यह जाल सा॥
बाप सँ इसके कहो, इस संगदिल को रख अज़ीज़
मोल है सारे बदख़्शाँ का य∅ बेटा लअ़ल सा॥

यहाँ **लअ़ल** का 'ऐन' गिरा कर उसे 'अलिफ़' के बराबर माना गया है और उसका क़ाफ़िया **इश्काल** तथा **जाल** के साथ किया गया है। प्रसङ्गवश, इस ग़ज़ल के अन्तिम दो शेर हैं:

ख़्याल उस नाज़ुककमर का बस कि∅ है हद्द+ए+निगाह
दम ब∅ दम खटके है वह आँखों में मेरी बाल सा॥
राग सँ हरचंद **नाजी** की तबीअ़त उठ गयी
तज दिया कहने कूँ, पर सुनने का है इक ख़्याल सा॥

जिनसे यह प्रमाणित होता है कि मुहम्मद हुसैन आज़ाद ने 'ख़्याल' और 'ख़याल' को ले कर जो क़िस्सा 'मीर' के बारे में लिखा है और जिसका

भरपूर खण्डन सरदार जाफ़री के द्वारा सम्पादित 'दीवान+ए+मीर' की भूमिका मेँ किया गया है, उसमेँ कुछ दम है ज़रूर; अर्थात् 'ख़याल' को जामा मस्जिद की सीढ़ियोँ पर कम-अज़-कम मुहम्मदशाह की दिल्ली मेँ [8] 'ख़्याल' ही बोला जाता था।

जामा मस्जिद की सीढ़ियोँ से उठ कर लाल क़िले की चारदीवारियोँ के भीतर अपना वतन खोज लेने मेँ ही उस उर्दू की ख़ूबसूरती का राज़ है जिसे हम जानते हैँ। उर्दू, जैसी वह ग़ालिब से आज तक है, एक आभिजात्य नागर बोली (= elite urban dialect) है। जब से इसने जनसाधारण की भाषा होने का दावा करना शुरू किया, कटुता और सन्देह के अतिरिक्त कुछ भी किसी को हासिल नहीँ हुआ है।

फिर चाहिए क्या? हमेँ इसका ध्यान रखना है कि लिप्यन्तरण मेँ लेखन-वैभिन्न्य और उच्चारण-वैभिन्न्य के सूचक चिह्न कुछ अलग तरह से दिखेँ। मैँने उच्चारण-वैभिन्न्य के लिए प्रचलित चिह्न अपनाये हैँ:

> क और क़ मेँ उच्चारण-वैभिन्न्य है, ख और ख़ मेँ उच्चारण-वैभिन्न्य है, ग और ग़ मेँ उच्चारण-वैभिन्न्य है, ज और ज़ मेँ उच्चारण-वैभिन्न्य है, फ और फ़ मेँ उच्चारण-वैभिन्न्य है।

किन्तु 'अलिफ़' और 'ऐन' मेँ उच्चारण-वैभिन्न्य नहीँ है तथापि लेखन-वैभिन्न्य है और इसका ध्यान न रखने पर बहुत अनर्थ हो सकता है। ऐसे समोच्चार्योँ के लिए मैँने लेखन-वैभिन्न्य दिखाने वाले चिह्न मूल लिपिचिह्न से ज़रा सा अलग हट कर रखे हैँ। ऊपर दिये गये असीर के उदाहरण पर लौटते हुए:

1. अलिफ़+से+ये+रे = अस॔ीर = उच्च
2. अलिफ़+सीन+ये+रे = असीर = बन्दी
3. ऐन+से+ये+रे = अ़स॔ीर = धूल
4. ऐन+सीन+ये+रे = अ़सीर = कठिन
5. ऐन+स्वाद+ये+रे = अ़स़ीर = अंगूर की शराब

[8] 'नाजी' की काव्य-रचना के समय की निम्नतम सीमा 1719 से कुछ पहले और उच्चतम सीमा 1740 या अधिक-से-अधिक 1747 तक, मानी जाती है।

2.3 इज़ाफ़त का कसरा?

दूसरी बात, जिस पर ध्यान दिया गया है, वह है 'इज़ाफ़त' (= वृद्धि)। यह समास-रचना से मिलती-जुलती प्रविधि है जो फ़ारसी से आयी। उदाहरण के लिए, हम कहना चाहते हैं 'ग़ालिब का दीवान'; यदि हम इसे संस्कृत की समास-रचना पद्धति से जोड़ कर एक शब्द के रूप मैं व्यवहृत करना चाहते हैं तो यह शब्द 'ग़ालिब-दीवान' बनेगा, जब हम इसे फ़ारसी की पद्धति से जोड़ते हैं तो यह 'दीवान+ए+ग़ालिब' बनता है (जिसका उच्चारण 'दीवानेग़ालिब' होता है)।

इजाफ़त का अर्थ है कि दो शब्दौं के बीच 'या' अक्षर का आगम हो गया है; ऊपर दिये गये उदाहरण मैं, 'दीवान' और 'ग़ालिब', इन दो शब्दौं के बीच 'या' अक्षर की 'इज़ाफ़त' (= वृद्धि) हो गयी। यह नवागत 'या' अक्षर उस समय प्रकट रूप मैं उपस्थित होता है जब इसका पूर्ववर्ती अक्षर 'अलिफ़' हो। इस बात को ठीक से हम 'दाग़' की इस ग़ज़ल से समझ सकते हैं:

> क्यौं कह के दिल का हाल करैं हाय हाय दिल
> अच्छी कही कि हम से कहो, माजरा+ए+दिल॥ 1 ॥
> घबरा के बज़्म+ए+नाज़ से आख़िर वø उठ गये
> सुन सुन के 'हाय हाय जिगर', 'हाय हाय दिल'॥ 2 ॥
> रहता है दम ख़फ़ा[9] मेरे सीने मैं हर घड़ी
> रूठे हुए को हाय कहाँ तक मनाये दिल॥ 3 ॥
> क्या अब भी मश्क+ए+ज़ुल्म के अरमान रह गये?
> एक एक दिन मैं तूने हज़ारौं सताये दिल॥ 4 ॥
> पाया न उस गली मैं दिल अपना किसी जगह
> यौं हम गिरे-पड़े तो बहुत ढूँढ़ लाये दिल॥ 4 ॥
> कहते नø थे वø सुन के बुरा मान जायँगे,
> ऐ दाग़, उनसे और कहो, माजरा+ए+दिल॥ 5 ॥

'माजरा+ए+दिल' का क़ाफ़िया 'मनाये दिल', 'सताये दिल', और 'लाये दिल' से तभी किया जा सकता है जब 'माजरा+ए+दिल' मैं आये इज़ाफ़त-चिह्न '+ए+' की प्रकट सत्ता 'ये' के रूप मैं स्वीकार की जाय। पाठकौं का ध्यान इस ओर भी जाना चाहिए कि क़ाफ़िया 'हाय हाय दिल' भी है और इस तरह 'ए' के ह्रस्व उच्चारण सहित

[9] 'ख़फ़ा' मैं श्लेष है; इसका अर्थ 'छिपा हुआ' भी है और 'रूठा हुआ' भी।

'हाये हाये दिल' पढ़ना आवश्यक होगा।
किन्तु यदि इससे '+ए+ = (ह्रस्व उच्चारण सहित) ये = ए' जैसा समीकरण निकाल लिया जायेगा तो यह बड़ी भूल होगी। ग़ालिब का यह शेर लीजिए:

> मिह्रबानी-हा+ए+दुश्मन की शिकायत कीजिए
> या बयाँ कीजे सिपास+ए+लज्ज़त+ए+आज़ार+ए+दोस्त॥

इसमेँ
'मिह्रबानी-हा+ए+दुश्मन' मेँ '+ए+ = (ह्रस्व उच्चारण सहित) ये = ए' है, जब कि 'सिपास+ए+लज्ज़त+ए+आज़ार+ए+दोस्त' मेँ पहला तथा दूसरा '+ए+ = (दीर्घ उच्चारण सहित) ए' हैँ, और तीसरा '+ए+ = (ह्रस्व उच्चारण सहित) ए' है; इस प्रकार वास्तविक उच्चारण सिपासेलज़्ज़तेआज़ारे॒दोस्त है।
स्पष्ट है कि इज़ाफ़त के '+ए+' के लिए कोई स्थिर उच्चारण-विधान भ्रामक होगा।

पहले जब 'हिंदीवाले' उर्दू का साहित्य देवनागरी मेँ लिप्यन्तरित करते थे तो 'सिपासेलज्ज़तेआज़ारेदोस्त' और 'माजराएदिल' लिखा जाता था; यह कम-अज़-कम शेर को सही पढ़ने मेँ मदद करता था। जब से अली सरदार जाफ़री जैसे 'उर्दूवाले' इस मैदान मेँ आये, इज़ाफ़त के लिए '-ए-' लिखा जाने लगा। यहाँ तक तो ठीक था कि इज़ाफ़त के लिए एक स्वतन्त्र चिह्न दिया जाय किन्तु इसके साथ-साथ एक नितान्त भ्रामक सिद्धान्त भी हिंदी पाठक को बताया जाने लगा। वह अली सरदार जाफ़री के शब्दोँ मेँ यह है:

> इज़ाफ़त की अलामत ज़ेर से लिखी जाती है...

'ज़ेर', या 'कसर0', ह्रस्व 'ए' की आवाज़ तक सीमित है। और 'कसर0' 'ये' अक्षर की 'बहन' है; इसे 'उख़्त+ए+या' कहते हैँ। इसी प्रकार 'ज़बर' या 'फ़तह0', जो 'अ' की ध्वनि बताने के लिए लगता है, 'उख़्त+ए+अलिफ़' (= 'अलिफ़' की बहन) है और 'पेश' या 'ज़म्म0', जो 'उ' की ध्वनि बताने के लिए लगता है,

'उख़्त+ए+वाव' (= 'व' की बहन) है। इज़ाफ़त की अलामत ज़ेर से हमेशा नहीं, कभी-कभी लिखी जाती है।

2.4 उर्दू में विसर्ग-चिह्न?

पहले जब 'हिंदीवाले' उर्दू का साहित्य देवनागरी में लिप्यन्तरित करते थे तो 'बे, अलिफ़, दाल, (छोटी) हे' से बनने वाला शब्द 'बादा (= शराब)' लिखा जाता था; यह कम-अज़-कम शेर को सही पढ़ने में मदद करता था। जब से 'उर्दूवाले' इस मैदान में आये, 'बादः' लिखा जाने लगा। यहाँ तक तो ठीक था कि 'छिपी हुई (छोटी) हे' के लिए एक स्वतन्त्र चिह्न दिया जाय किन्तु इसके साथ-साथ एक नितान्त भ्रामक सिद्धान्त भी हिंदी पाठक को बताया जाने लगा। वह अली सरदार जाफ़री के शब्दों में यह है:

> इस हे के लिए विसर्ग (:) का उपयोग किया गया है। जिसकी मूल आवाज़ संस्कृत में छोटी हे की आवाज़ है। इस दीवान में विसर्ग को हर जगह ह के बजाय अ पढ़ना चाहिए जो उर्दू में अलिफ़ की आवाज़ नहीं बल्कि ज़बर की आवाज़ है।...

पहले तो यही देखते हैं कि उर्दू में 'छिपी हुई (छोटी) हे' की आवाज़ क्या है।

'नासिख़' की एक ग़ज़ल का पहला शेर है:

चोट दिल को जो लगे, आह+ए+रसा पैदा हो
सदम0 शीशे को जो पहुँचे तो सदा पैदा हो॥

इसमें सदम0 (जिसे जाफ़री साहब के नियम के अनुसार सदमः लिखा जायगा) का उच्चारण सद्म होगा और इसमें तीन मात्राएँ होंगी।

अब ग़ालिब का एक शेर लीजिए:

लाज़िम था किø देखो मेरा रस्त0 कोई दिन और
तन्हा गये क्यों? अब रहो तन्हा कोई दिन और॥

इसमें रस्त0 (जिसे जाफ़री साहब के नियम के अनुसार रस्तः लिखा जायगा) का उच्चारण रस्त नहीं अपितु रस्ता होगा, और इसमें तीन नहीं चार मात्राएँ होंगी, अर्थात्, जाफ़री साहब की शब्दावली का उपयोग करें तो, 'ज़बर की आवाज़' नहीं अपितु 'अलिफ़ की

आवाज़' निकालनी पड़ेगी। यहाँ कहा जा सकता है कि क़ाफ़िया की मजबूरी है क्योंकि इस ग़ज़ल मैं अच्छा कोई दिन और आदि आते हैं। उर्दू मैं, यद्यपि फ़ारसी मैं नहीं, एक ग़ज़ल मैं एकाध क़ाफ़िया ऐसा कर देना दोषावह नहीं है।

अब ग़ालिब का एक दूसरा शेर लीजिए:

> था ख़ाॅब मैं ख़याल को तुझसे मुआ़मल0
> जब आँख खुल गयी, नø ज़ियाँ था नø सूद था॥

इसमैं मुआ़मल0 (जिसे जाफ़री साहब के नियम के अनुसार मु'आमलः लिखा जायगा) का उच्चारण मुआमला होगा और यहाँ क़ाफ़िया की मजबूरी नहीं है।

स्पष्ट है कि 'छिपी हुई (छोटी) हे' के लिए जाफ़री साहब द्वारा सिद्धान्त बना लेना भ्रामक है। यदि 'छिपी हुई (छोटी) हे' की आवाज़ 'ज़बर की आवाज़' है, 'अलिफ़ की आवाज़' नहीं है तो कुछ ऊपर दिये गये उदाहरण मैं मुहसिन काकोरवी ने 'राजा' के अन्त मैं 'अलिफ़' न डाल कर 'छिपी हुई (छोटी) हे' क्यों डाली है?

जहाँ तक 'विसर्ग-चिह्न' की बात है, कम-अज़-कम ढाई हज़ार वर्षों से उसका स्वरूप स्थिर है; कुछ विशेष परिस्थितियों मैं, जिनमैं शब्द के अन्त मैं आगमन भी शामिल है, एक प्रकार का 'र' विसर्ग मैं बदल जाता है।[10] यह सही है कि आज हम उसका उच्चारण 'ह्' के रूप मैं करते हैं, और जाफ़री साहब की सलाह के बावुजूद हिंदी का पाठक 'बादः' को 'बाद' न पढ़ कर 'बादह्' ही पढ़ेगा किन्तु इससे यह कहाँ साबित होता है कि विसर्ग की 'मूल आवाज़ संस्कृत मैं छोटी हे की आवाज़ है'? अधिक से अधिक यह कहा जा सकता है कि जैसे clear का उच्चारण अमरीका के कुछ क्षेत्रों मैं क्लीयह् किया जाता है, वैसे ही अन्त के 'र्' का कुछ विशेष परिस्थितियों मैं 'ह्' उच्चारण संस्कृत मैं कहीं-कहीं किया जाता रहा होगा।

प्रायः इस अन्त्याक्षर 'छोटी हे' को विसर्गचिह्न ':' से देवनागरी लिप्यन्तरण मैं बताया जाता रहा है। इसके कई नुक़्सान हैं। एक अच्छा-भला लिपिचिह्न जो संस्कृत के शब्द लिखने के काम आता है एक सर्वथा भिन्न व्यवहार के लिए क्यों बरबाद किया जाय यह समझना असम्भव है।

[10]खरवसानयोर्विसर्जनीयः, पाणिनि 8-3-55

अली सरदार जाफ़री के सम्पादित दीवान+ए+ग़ालिब में इस दुरुपयोग का चरम है जहाँ सियह को भी सियः लिखा गया है। उनकी भूमिका और भी भ्रामक है। वे लिखते हैं:

> ... इस 'हे' के लिए विसर्ग (:) का उपयोग किया गया है जिसकी मूल आवाज़ संस्कृत में छोटी हे की आवाज़ है।

इस तरह के 'भाषा-विज्ञान' से पाठक भ्रम में पड़ सकता है। कई लोग बादःख़ा^वर को बादह् ख़ा^वर पढ़ते पाये जाते हैं। यह कुछ ऐसे ही जैसे कई विदेशी नियमानुकूल लिप्यन्तरण का अनुसरण करते हुए Punjab को 'पुंजाब' पढ़ते हैं।

यह कितनी ख़राबी ला सकता है इसके उदाहरण के लिए मैं हिन्दी के शीर्षस्थ विद्वान् आचार्य किशोरीदास वाजपेयी का एक उद्धरण प्रस्तुत करता हूँ।

> आप जानते हैं यह 'खड़ी पाई' मूलतः क्या चीज है? यह संस्कृत के विसर्गों का विकास है। 'उषः' को 'उषा' होते आपने देखा ही है। विसर्गों का उच्चारण 'ह' के समान होता है इसीलिए विदेशी 'ज्यादह' 'तमन्नह' आदि शब्द हिन्दी में 'ज्यादा' 'तमन्ना' आदि बन जाते हैं।
>
> ...
>
> 'उषः' से 'उषा' और 'तर्जुमह्' से 'तर्जुमा' इसी विधि से बन गये।[11]

आचार्य वाजपेयी के इस उद्धरण में कई गड़बड़ियाँ हैं। शब्द 'तमन्ना' का अन्तिमाक्षर 'अलिफ़' है 'छोटी हे' नहीं। यों तो 'उषः' से 'उषा' भी 'भिड़ाऊ भाषाविज्ञान' है।

किन्तु आचार्य वाजपेयी को ही क्यों दोष दें जब 'मद्दाह' साहब भी अपने ':' को 'ह' लिख बैठते हैं:

> मेरे इस्याँ से <u>ज़ियादह</u> रहमतों में जोश है
> मैं नदामत-पेश हूँ, मौला नदामत-पोश है॥[12]

[11] 'हिन्दी शब्दानुशासन'; पञ्चम संस्करण पृ 15
[12] 'मद्दाह' साहब के शब्दकोष में 'इस्याँ ' के अन्तर्गत उद्धृत।

मैं इस प्रसङ्ग को यहीं समाप्त करता हूँ।

विसर्ग को केवल संस्कृत के तत्सम शब्दौं के लिए सुरक्षित रखना चाहिए; अन्यत्र इसका उपयोग एक दुर्विनियोजन है।

2.5 'एक', 'ए॒ क', 'इक' और 'यक'

'ए' और 'ओ' का ह्रस्व उच्चारण हम.रे यहाँ ज़माने से चला आ रहा है और देवनागरी मैं उसके लिए लिपिचिह्न नहीं हैं। सामवेद की सात्यमुग्रि और राणायनीय शाखाऔं मैं 'ए' और 'ओ' का ह्रस्व उच्चारण होता था यह पतञ्जलि ने ही कहा था जिन्हें दो हज़ार साल से भी ऊपर हो रहे हैं। प्राकृतौं मैं 'ए' और 'ओ' का ह्रस्व उच्चारण बहुतायत से उपलब्ध है। भोजपुरी तथा अवधी मैं 'ए' और 'ओ' का ह्रस्व उच्चारण आज भी मौजूद है। दक्षिण भारत की अनेक भाषाऔं मैं 'ए' और 'ओ' का ह्रस्व उच्चारण बराबर होता है। समय को देखते हुए देवनागरी मैं 'ए' और 'ओ' के ह्रस्व उच्चारणौं के लिए नये लिपिचिह्न बनाने की शायद आवश्यकता भी है। तकनीकी प्रकाशनौं मैं इनके लिए नये लिपि-चिह्न इस्तेमाल भी किये जाते रहे हैं।

इन सब बातौं को देखते हुए, मैंने 'ए' और 'ओ' के ह्रस्व उच्चारणौं के लिए क्रमशः ए॒ और ओ॒ चुन लिए हैं। ये वही चिह्न हैं जो पिशेल के 'प्राकृत भाषाऔं का व्याकरण' मैं श्री हेमचन्द्र जोशी ने इस्तेमाल किये हैं और जिनका इस्तेमाल हिंदी मैं डॉ भोलानाथ तिवारी जैसे भाषावैज्ञानिक करते रहे हैं।

इस प्रकार भोजपुरी के ए॒करा, ओ॒करा, के॒करा और पो॒खरा लिखे जा सकते हैं। कुछ ऐसा करना शायद तकनीकी लेखन मैं ज़रूरी भी होगा।

मैं यहाँ यह प्रश्न उठाना चाहता हूँ कि दो ढाई हज़ार साल से यह उच्चारण हमारे यहाँ मौजूद है फिर भी क्यौं देवनागरी मैं इसके लिए लिपिचिह्न बनाने की आवश्यकता नहीं महसूस की गयी? भोजपुरी और अवधी के सन्दर्भ मैं तो इसका कुछ कारण समझ मैं आता है, ह्रस्व 'ओ' के उच्चारण वाला पो॒खरा कोई स्वतन्त्र शब्द नहीं, दीर्घ 'ओ' के उच्चारण वाले पोखर का ही परिस्थिति-विशेष मैं किया जाने वाला एक रूपान्तर है, ह्रस्व 'ए' के उच्चारण वाला के॒करा कोई स्वतन्त्र शब्द नहीं, दीर्घ 'ए' के उच्चारण वाले केकर का ही परिस्थिति-विशेष मैं

किया जाने वाला एक रूपान्तर है। मुझे नहीं लगता कि आज की हिंदी मैं स्थिति भिन्न है। उदाहरण के लिए निम्नलिखित पङ्क्तियाँ देखिये:

> कुरुराज की भोगी हुई इस सिद्धि को हर्षित हो वरता नहीं क्यौं है?
> कुरुक्षेत्र-विजेता बता निज पाँव सिंहासन पै धरता नहीं क्यौं है?

ये पङ्क्तियाँ स्वर्गीय रामधारी सिंह 'दिनकर' के 'कुरुक्षेत्र' से ली गयी हैं और दिनकर जी की कविता के बारे मैं जो भी राय आप रखते हौं, उनका छन्दःशास्त्र निर्दोष है। उन्हौंने हिंदी की उच्चारण-प्रवृत्ति का लाभ उठाया है और 'कविता मैं छूट' ली है। क्या हमैं इसे इस प्रकार लिखना चाहिए?

> कुरुराज की˘ भोगी˘ हुई इस सिद्धि को˘ हर्षित हो वरता नहीं˘ क्यौं है?
> कुरुक्षेत्र-विजेता˘ बता निज पाँव सिँहासन पै धरता नहीं˘ क्यौं है?

विना इन सहायक चिह्नौं के भी हिंदी के पाठक बखूबी इस कविता को पढ़ लेते हैं। इस लिए इन सहायक चिह्नौं की आवश्यकता तब, और केवल तभी पड़ती है जब आप तकनीकी लेखन मैं यह बताना चाहैं कि यहाँ ह्रस्व 'ए', या ह्रस्व 'आ', या ह्रस्व 'ओ' उच्चारण छन्द का निर्वाह करने के लिए ज़रूरी है।

फिर 'मेरा' को 'मिरा' और 'तेरा' को 'तिरा' क्यौं लिखा जाय? 'मिरा' और 'तिरा' हिंदी के शब्द नहीं हैं और उर्दू के भी वे 'शब्द' हैं ऐसा दावा कदाचित् ही कोई करे। वे 'मेरा' और 'तेरा' के आवश्यक उच्चारण भी नहीं हैं; वस्तुतः यदि आवश्यक उच्चारण बताना अभीष्ट हो तो वे 'मे˘रा' और 'ते˘रा' हैं।

यह बात फ़ारसी के शब्दौं पर लागू नहीं है। उदाहरण के लिए फ़ारसी मैं यद्यपि कोहसार और कुहसार समानार्थी हैं और सम्भवतः एक दूसरे के रूपान्तर ही हैं, कोई कोहसार लिख कर कुहसार नहीं पढ़ता; जब कोहसार पढ़ना हो तो कोहसार लिखा जाता है, जब कुहसार पढ़ना हो तो कुहसार लिखा जाता है।

सन्दर्भ को ठीक तरह से सामने रखने के लिए यहाँ हमैं सरदार जाफ़री के इस कथन पर ध्यान देना चाहिए जिसे मैं उद्धृत कर रहा हूँ:

> उर्दू की एक और विशेषता यह है कि शाइरी मैं कुछ शब्दौं की याये मजहूल (मोटी आवाज़ देने वाली ये) को ख़ारिज कर

> के उसे ज़ेर से बदल दिया जाता है। इस तरह आवाज़ छोटी हो जाती है। उदाहरण के लिए एक और मेरे से जब याये मजहूल ख़ारिज होती है तो 'ए' की आवाज़ छोटी हो जाती है। और इसे (इक) और (मिरे) लिखा जाता है। नागरी में इस आवाज़ को जो वास्तव में ज़ेर की ख़ालिस आवाज़ है, व्यक्त करने का कोई तरीक़ः नहीं। इसलिए मजबूरन् ऐसे स्थानों पर इ की अलामत प्रयोग में लाई गयी है। जैसे (इक) और (मिरे)। यही सूरत कहीं कहीं वाव के साथ पेश आती है जहाँ उसकी पूरी आवाज़ कट कर पेश की आवाज़ में बदल जाती है। जैसे कोहसार को मजबूरन् 'कुहसार' लिखा गया है।
>
> मेरी राय यह है कि नागरी लिपि की मात्राओं में उर्दू के ज़ेर और पेश को सम्मिलित कर लेना चाहिए। ...

मुझे लगता है कि यहाँ सरदार जाफ़री ने कई गड़बड़ियाँ एक साथ की हैं और सबका घालमेल कर दिया है। जहाँ तक 'इक' की बात है, यह 'उर्दू की विशेषता' उतनी ही है जितनी यह अन्य भारतीय भाषाओं की विशेषता है; एक का ए˘ इक प्राकृतों में ही हो गया था और काव्यात्मक **इक** भाषाकाव्य में चलता रहा है:

> भाल पै लाल गुलाल गुलाल सों गेरि गरे गजरा अलबेलौ
> यों बनि बानिक सों **पदमाकर** आये जु खेलन फाग तौ खेलौ
> पै **इक** या छबि देखिबे को लिए मो बिनती के न झोरिन झेलौ
> रावरे रंग रँगी अँखियान में ए बलबीर अबीर न मेलौ॥ [13]

'इक' ठेठ भाषाकाव्य का शब्द है, और उर्दू में भी वहीं से आया। इसमें कोई आवाज़ ऐसी नहीं जिसके बारे में यह कहा जा सके कि 'नागरी में इस आवाज़ को व्यक्त करने का कोई तरीक़ः नहीं' और 'इ की अलामत' को 'मजबूरन्' प्रयोग करना पड़ता है। 'इक' एक अलग शब्द ही है, विवश हो कर लिखा गया 'एक' नहीं है।

किन्तु यह केवल तभी जब 'इक' को 'एक' की जगह इस्तेमाल किया गया हो और इस प्रकार उसका अर्थ संख्यावाची हो। फ़ारसी में

[13] 'भानु'-कृत 'काव्यप्रभाकर' से उद्धृत; पृ 163

'एक' के लिए 'यक' शब्द आता है किन्तु इसके बहुत से उपयोग हैं। इस बात को हम ग़ालिब के दो प्रयोगों से समझ सकते हैं।
ग़ालिब का शेर है:

मय से ग़रज़ नशात़ है किस रू-सियाह को
यकगून0 बे-ख़ुदी मुझे दिनरात चाहिए॥

इसमैं आये यकगून0 को सर्वत्र उर्दू मैं इकगून0 लिखा जा रहा है। यह ग़लत है क्योंकि 'यकगून0' फ़ारसी का एक सामासिक प्रयोग है जिसका अर्थ है 'एक ही रंग का'।
इस की तुलना मैं ग़ालिब का दूसरा शेर रखा जा सकता है:

पुर हूँ मैं शक्व0 से यूँ, राग से जैसे बाजा
इक ज़रा छेड़िए, फिर देखिए क्या होता है॥

यहाँ 'इक' लिखना शायद ठीक हो।
'यकजहाँ', 'यकक़लम' आदि मैं 'इकजहाँ', 'इकक़लम' आदि लिखना मैं अशुद्ध मानता हूँ।
किन्तु जहाँ तक ग़ालिब का प्रश्न है, वे संख्यावाची 'एक' के लिए भी 'इक' लिखने की जगह 'यक' बराबर लिखते रहे हैं। मैं एक उदाहरण देता हूँ।
ग़ालिब ने लिखा है:

मौज+ए˘+ख़मयाज़0+ए+यक नश्श0 चि∅ इस्लाम चि∅ कुफ़्र
कजी˘+ए+यक ख़त़+ए+मिस्त़र चि∅ तवह्हुम चि∅ यक़ीं
क़िब्ल0+ओ+अब्रू˘+ए+बुत, यक
रह+ए+ख़्वाबीद0+ए+शौक़
कअ˘ब0+ओ+बुतकद0 यक मह़मिल+ए+ख़्वाब+ए+संगीं

और इसमैं 'यक' लिखा है, 'इक' नहीं लिखा है।
रहा 'मेरा' को 'मिरा' लिखने का सवाल। यद्यपि सरदार जाफ़री ने इस बात को 'उर्दू की विशेषता' बताया है, सचाई यह है कि यह केवल अली सरदार जाफ़री या इम्तियाज़ अली अर्शी की विशेषता है। ग़ालिब का शेर है:

दादख़्वाह+ए तपिश ओ मुह्र+ए+ख़मोशी बर लब
काग़ज़+ए+सुर्मः है जाम0 ते˘रे बीमारों का॥

इसे जब ग़ालिब ने ख़ुद लिखा है तो यों लिखा है:

> दादख़ावह+ए तपिश ओ मुह्र+ए+ख़मोशी बर लब
> कागज़+ए+सुर्मः है जाम0 तेरे बीमारों का॥

और 'तिरे' नहीं लिखा है। किन्तु अर्शी साहब इसे यों लिखते हैं:

> दादख़ावह+ए तपिश ओ मुह्र+ए+ख़मोशी बर लब
> कागज़+ए+सुर्म0 है जाम0 तिरे बीमारों का॥

इसी ग़ज़ल में एक और शेर है:

> जल्व0 मायूस नहीं दिल निगरानी ग़ाफ़िल
> चश्म+ए+उम्मीद है रौज़न ते˘री दीवारों का॥

इसे ग़ालिब ने ख़ुद यों लिखा है:

> जल्व0 मायूस नहीं दिल निगरानी ग़ाफ़िल
> चश्म+ए+उम्मीद है रौज़न तेरी दीवारों का॥

किन्तु अर्शी साहब इसे यों लिखते हैं:

> जल्व0 मायूस नहीं दिल निगरानी ग़ाफ़िल
> चश्म+ए+उम्मीद है रौज़न तिरी दीवारों का॥

स्पष्ट है कि तेरा लिख कर ते˘रा पढ़ने की सम्भावनाएँ उर्दू में भी वैसे ही स्वीकार की जाती थीं जैसे वे देवनागरी में लिखी हिंदी में स्वीकार की जाती रही हैं। और मैं यह केवल ग़ालिब की निजी वर्तनी के आधार पर नहीं कह रहा हूँ। 'नाजी' का शेर है:

> लगी **नाजी** ते˘री मिहनत ठिकाने
> हुआ है यार अब चौदह बरस का॥

इसमें 'तेरी' लिखा गया है, 'तिरी' नहीं।

सच यह है कि प्रारम्भ में उर्दू में भारतीय भाषाओं के शब्द वैसे ही लिखे जाते थे जैसे वे देवनागरी में लिखे जाते हैं और उनका उच्चारण क्या होगा यह छन्द पर छोड़ दिया जाता था। 'नाजी' के दीवान में 'तिरा' और 'मिरा' का कहीं पता नहीं। मैं एक उदाहरण 'नाजी' के दीवान से और देता हूँ:

माँगे है चौथ दिल की, दकनी बजा के बाजा
वह जीव का चोर लड़का गोया है साहू राजा॥

इसमैं 'जिउ' उच्चारण के लिए 'जीव' और 'साहु' उच्चारण के लिए 'साहू' लिखा हुआ है। 'नाजी' के दीवान मैं सर्वत्र 'ऊपर' लिखा गया है जिसे प्रायः 'उपर' पढ़ना आवश्यक होता है।

एक प्रश्न और। यह 'ज़ेर की ख़ालिस आवाज़' क्या है? जहाँ तक पता लगता है, भारतीय उच्चारण मैं यह वही है जिसे हम 'इ' के मात्रा-चिह्न से बख़ूबी व्यक्त करते हैं। फिर सरदार जाफ़री का इशारा किस ओर है?

मेरा समझना यह है कि इसका उत्तर उनके इस कथन मैं है जिसे मैं उद्धृत कर रहा हूँ:

> कोई लिपि पूर्ण नहीं है और इंसान के गले और मुख से निकलने वाली सब आवाज़ों को व्यक्त करने मैं समर्थ नहीं है क्योंकि मानव मस्तिष्क की तरह ही मानव कंठ भी असीमित योग्यता का मालिक है। उर्दू के वे शब्द जिनका दूसरा अक्षर बड़ी हे हो और यह हे गतिहीन हो और पहले अक्षर पर ज़बर हो तो उसे ज़बर नहीं बोला जाता बल्कि उसकी आवाज़ ज़बर और ज़ेर के बीच मैं होती है। जैसे अह्मद, मह्बूब, बह्र, वह्शत वग़ैरः। इनका उच्चारण करते समय पहले अक्षर को हमेशः अ और ए के बीच बोलना चाहिए। कभी कभी छोटी हे के शब्दों के साथ भी यही होता है। जैसे क़ह्र।

'उर्दू की आवाज़ें' व्यक्त करने मैं उर्दू लिपि की अशक्तता के विनम्र स्वीकार के बाद जब वास्तविक लिप्यन्तरण की बात आती है तो सरदार जाफ़री अपने दिये गये उदाहरणों मैं 'क़ह्र' को 'क़ेह्र' लिखते हैं और ज़ाहिर है कि उनकी उम्मीद यह है कि देवनागरी का पाठक 'क़ेह्र' को 'क़ॆ ह्र' के नज़्दीक कुछ पढ़ेगा। अन्य किसी भी शब्द के लिए वे ऐसा नहीं करते। 'वह्शत' कहीं भी 'वेह्शत' नहीं लिखा गया है यद्यपि यह उनके दिये हुए उदाहरणों मैं से एक है।

इस सिद्धान्त के प्रतिपादन का क्या कारण है? भारतीय उच्चारण मैं 'इ' का 'ह्रस्व ए' और 'उ' का 'ह्रस्व ओ' करने की प्रवृत्ति हज़ारों

वर्षों से, प्राकृतों मैं ही, पायी जाती रही है। हो सकता है इसी नाते, कुछ विदेशी शब्दों मैं भी ऐसा हुआ हो, जिसके नाते 'मिह्रबान्' को 'मे ॅह्रबान्' बोलना [14] तथा 'मुह्सिन' को 'मो ॅह्सिन' बोलना पाया जाता है। यह आवश्यक नहीं कि विदेशी उच्चारण के अनुकरण मैं ही ऐसा होता रहा हो। कुछ लोग 'महब्बत' को 'मुहब्बत' समझते-बोलते हैं और फिर 'मो ॅहब्बत' भी बना लेते हैं। इसमैं 'बड़ी हे' और 'छोटी हे' का कोई अन्तर अगर है तो वह मेरे देखने मैं नहीं आया। यद्यपि सरदार जाफ़री ने इसका उल्लेख नहीं किया, यही बात 'ऐन' आने पर भी होती है; 'ज़ुअ ॅफ़ (= दुर्बलता)' का 'ज़ोफ़' ('ओ' के पूर्ण उच्चारण के साथ, क्योंकि 'ऐन' 'ओ' मैं मिल गया है) और 'शिअ ॅर (= कविता का पङ्क्ति-युग्म) का 'शेर' ('ए' के पूर्ण उच्चारण के साथ, क्योंकि 'ऐन' 'ए' मैं मिल गया है) ऐसे ही पढ़ा जाता है। मुझे लगता है कि 'ह' और 'अ' की जो नज़दीकी कुछ क्षेत्रों मैं है (जिसके नाते कई लोग 'पहिला' का उच्चारण 'पैला' करते पाये जाते हैं) का भी कुछ योगदान इसमैं है।

किन्तु 'क़ह्र' का 'क़े ॅह्र' उच्चारण यद्यपि प्रचलित अवश्य है, शब्दकोष इसका समर्थन नहीं करते। 'मद्दाह' साहब के शब्दकोष मैं 'मिह्रबान' और 'मेह्रबान' दोनौं मिल जायैंगे किन्तु केवल 'क़ह्र' ही उपलब्ध है, 'क़ेह्र' नहीं। इसलिए मानना पड़ेगा कि 'क़ह्र' को 'क़ेह्र' लिखने के पीछे जो विचार है वह 'उर्दू की विशेषता' न हो कर कुछ दूसरी ही चीज़ है।

मेरी समझ मैं जहाँ तक आता है, इसका तर्क यह है कि जिसे 'ज़बर की आवाज़' कहा जाता है वह ईरान के कुछ क्षेत्रों मैं 'ए ॅ' और 'ऐ' के बीच बोली जाती है। जिस शब्द को हम बद (= बुरा) लिखते-बोलते हैं, ईरान के कुछ क्षेत्रों मैं उसका उच्चारण 'बे ॅद' और 'बैद' के बीच कहीं होगा।

भारत मैं आ बसे कुछ विदेशी शायद 'ज़बर की आवाज़' को ऐसा बोलते रहे हौं। यह 'ज़बर की आवाज़' का स्थानीय उच्चारण तो हो सकता है, किन्तु इसे 'ज़ेर की ख़ालिस आवाज़' कैसे कहा जा सकता है? क्या हम भी ऐसा ही सर्वत्र बोलैं?

[14]सरदार जाफ़री के अनुकरण पर 'मेहरबान्' लिखने से 'मेहर्बान्' उच्चारण का ख़तरा है।

और हम 'बड़ी हे' तथा 'छोटी हे' के पहले भी इस स्थानीयता को क्यौं प्रामाणिक मानैं? इस नियम का क्या आधार है? 'आइना' मैं 'ना' पर कुछ लोगौं के उच्चारण मैं हलकी सी नासिक्यता झलकती है, क्या हम इसे प्रामाणिक मान कर 'आइनाँ' लिखने-बोलने लगैंगे? यह स्थिति स्वीकार्य नहीं है। [15] जो भी ईरानी उच्चारण के अनुसार लिप्यन्तरण करते हैं, हमारे प्रचलित ख़ुद को xod लिखते हैं।

वस्तुतः ईरानी 'अ', 'इ', और 'उ' के लिए अरबी लिपि मैं सङ्केत हैं ही नहीं। 'ज़बर', 'पेश', 'ज़ेर' की सारी कसरत बेकार है यदि उद्देश्य ईरानी उच्चारण की अनुकृति है। इस अनुकृति मैं, किसी भी अन्य अनुकृति की तरह हम असफल ही हौंगे; क्या हम Daniel Jones के अनुसार अंग्रेज़ी बोल सकते हैं? क्या हम विदेशी शब्दौं के लिए educated native speaker बन सकते हैं? क्या हमैं ऐसी कोशिश करनी चाहिए?

मैं समझता हूँ कि देवनागरी लिप्यन्तरण मैं हमैं 'मिह्रबान्' लिखना चाहिए, 'मेह्रबान्' नहीं, 'क़ह्र' लिखना चाहिए, 'क़ेह्र' नहीं। उर्दू मैं 'मिह्रबान्' लिख कर ही 'मेह्रबान्' पढ़ा जाता है, 'क़ह्र' लिख कर ही 'क़ेह्र' पढ़ा जाता है। ऐसी सुविधा देवनागरी मैं उपलब्ध नहीं। जैसा मैंने ऊपर कहा, आवश्यकता 'दीप' जैसी परियोजना की है जिसमैं भाषावैज्ञानिक, अभिकलनशास्त्री और साहित्य-प्रेमी एक साथ बैठ कर समस्या और समाधान पर विचार करैं। जब तक यह नहीं होता तब तक के लिए मैं अपना बनाया हल नीचे दे रहा हूँ।

किन्तु यह ध्यान मैं रखना चाहिए कि यह लिप्यन्तरण मैंने केवल मूल काव्योद्धरणौं मैं किया है। चर्चापरक सामान्य गद्य मैं, चाहे वे मूल उर्दू से उद्धरण ही क्यौं न हो, मैं हिंदी मैं प्रचलित व्यवहार को समीचीन मानता हूँ और इस प्रकार मैं 'ग़ालिब' और 'फ़र्क़' तो लिखूँगा, किन्तु यदि कोई शेर नहीं उद्धृत किया जा रहा है तो मैं प्रचलित देवनागरीकरण 'शेर' की जगह 'शिअ॑र' या प्रचलित देवनागरीकरण 'इश्क़' की जगह 'इ़श्क़' न लिखूँगा। इस प्रकार मेरी बातौं का सम्बन्ध केवल

[15] अब उर्दू की देखादेखी हिंदी मैं भी कुछ लोगौं ने नितान्त क्षेत्रीय उच्चारणौं को 'मानक उच्चारणौं' के रूप मैं घोषित करना प्रारम्भ कर दिया है और यदि मेरी जानकारी ठीक है तो कह रहे हैं को के ह रहे हैं के रूप मैं हिंदी का 'मानक उच्चारण' बता कर कुछ अन्तरराष्ट्रीय अभिलेखौं मैं भी दर्ज करवाया गया है।

ग़ालिब की कविता के लिखित रूप से है और मुझे इससे कोई मतलब नहीं कि लखनऊ या दिल्ली मैं आज उर्दू कैसे बोली जाती है, या ग़ालिब का निजी उच्चारण क्या रहा होगा।

हम जानते नहीं हैं, ऐ **दर्द** क्या है कअ़ब0
जीधर मिले वø अब्रू, ऊधर नमाज़ करना॥

इस तरह, यद्यपि बहुत से लोग **इहसान** को **एहसान** लिखते-बोलते हैं, मैं **इहसान** ही लिखूँगा और मैं समझता हूँ कि हिंदी के पाठक को विना किसी हिचक के यही बोलना भी चाहिए।

कुछ शौक़ है तो अहल+ए+ख़राबात से मिलो,
ऐ सूफ़ियो, नहीं यø हमैं "हाय! हू!!" पसंद॥

—रियाज़ ख़ैराबादी।

अधिकरण 3

एक कामचलाऊ समाधान

आ बैठे हैं रिंद अंजुमन+ए+वअ़ ̆ज़ में दो चार,
अच्छा है अगर हो मय+ए+कौस़र का बयाँ अब॥

—रियाज़ ख़ैराबादी।

3.1 समोच्चार्य भिन्नलेख्य

1. अलिफ़ से आये 'अ' को अ से बताया गया है। चूँकि हिन्दी व्यवहार में 'इ' वही है जो 'अ' पर 'इ' की मात्रा, इसलिए अलिफ़ से आये 'इ' को इ, अलिफ़ से आये 'उ' को उ लिखा गया है।

   आ, ई, ऊ के बारे में ऊपर बात हो चुकी है। यह स्मरण रखना चाहिए कि 'बाद (= हवा)' में जो ' "ब" पर "आ" की मात्रा' है, वह व्यवहार का देवनागरीकरण है; उर्दू सिद्धान्त के अनुसार वह ब अ ̆ है।

   अय, ऐ, ई, सबकी वर्तनी उर्दू में एक ही है। इन सब को जैसा जहाँ उचित है, वैसा वहाँ लिखा गया है।

   ऐन से आये 'अ' को अ़ से बताया गया है। यह बिन्दु . हमेशा ही सम्बन्धित लिपिचिह्न के नीचे कुछ दूरी पर है क्योंकि ऐन और अलिफ़ समोच्चार्य भिन्नलेख्य हैं। इस प्रकार इ़श्क़ लिखने का अर्थ यह है कि उच्चारण तो इश्क़ होगा किन्तु वस्तुतः यहाँ 'इ' का अर्थ है कि 'ऐन' में 'इ' की मात्रा लगायी गयी है।

'बअ़द (= पश्चात्)' मेँ व्यवहार तो ' "ब" पर "आ" की मात्रा' का है और सिद्धान्त के अनुसार वह ब अ़ ॅ द है। यहाँ सिद्धान्त को प्राथमिकता दी गयी है और कहीँ-कहीँ ज़ोर देने के लिए बअ़ॅद लिखा गया है किन्तु यह बअ़द भी लिखा गया है क्योँकि देवनागरी अ़ से अ़ ॅ की सूचना देने मेँ वैसे ही समर्थ है जैसे वह ल से ल् की सूचना देने मेँ समर्थ है।

यह दुहराना आवश्यक है कि बअ़द, जिसे बअ़ॅद भी लिखा गया है, उच्चारण मेँ केवल बाद है। किन्तु लेखन मेँ वह बअ़द है। बअ़द (= पश्चात्) और बाद (= हवा) मेँ अन्तर के लिए यह आवश्यक है।

2. से से आये 'स' को स॒, सीन से आये 'स' को स और स्वाद से आये 'स' को स़ से बताया गया है। उच्चारण तीनोँ का ही 'स' है।

3. ते से आये 'त' को त से और तोय से आये 'त' को त॒ से बताया गया है। उच्चारण दोनोँ का ही 'त' है।

4. 'बड़ी' हे से आये 'ह' को ह़ से बताया गया है। उच्चारण 'ह' है।

5. ज़ाल से आये 'ज़' को ज़॒ से, ज़े से आये 'ज़' को ज़ से, ज़्वाद से आये 'ज़' को ज़़ से, और ज़ोय से आये 'ज़' को ज़॒ से बताया गया है।

इस प्रकार ज़ और ज के उच्चारण भिन्न हैँ किन्तु ज़॒, ज़़, ज़॒ के उच्चारण वही हैँ जो ज़ का उच्चारण है। लेखन-वैभिन्न्य बताने वाले ये सभी विशेष चिह्न मूल लिपिचिह्न से थोड़ी दूरी पर हैँ जब कि उच्चारण-वैभिन्न्य बताने वाला बिन्दु, जो ज़ को ज से अलग करता है, मूल लिपिचिह्न ज से सटा हुआ है।

नज़्ज़ारः का उच्चारण नज़्ज़ारः होगा। जो अतिरिक्त चार बिन्दु दीख रहे हैँ वे यह बताते हैँ कि दो बार आया ज़ दोनोँ ही बार ज़ोय से आया 'ज़' है। प्रसङ्गवश, यह शब्द नज़ारः भी बोला जाता है; उर्दू वर्तनी एक ही होती है।

3.2 चार विशेष लिपिचिह्न

1. मूल लिपि अरबी है जिसमैं स्वर नहीं होते केवल व्यञ्जन होते हैं। कुछ व्यञ्जनों से स्वर का भी काम लिया जाता है, जिन्हैं ह़र्फ़+ए+इ़ल्लत (= दुर्बलाक्षर) कहते हैं। ये हैं, वाव, जो ज़रूरत पर ऊ अक्षर और उसकी मात्रा का काम दे सकता है, अलिफ़, जो ज़रूरत पर आ अक्षर और उसकी मात्रा का काम दे सकता है, और या जो ज़रूरत पर ई अक्षर और उसकी मात्रा का काम दे सकता है। इस प्रकार 'काफ़' अक्षर का मूल प्रभाव क् है और अलिफ़ जोड़ देने पर का हो जाता है।

   पाठक जानना चाह सकते हैं कि फिर क के लिए क्या व्यवस्था है। इसकी व्यवस्था कोई नहीं है; कहा जायगा कि "काफ़ पर फ़त्ह़0 है"। इस प्रकार यह कहा जा सकता है कि 'फ़त्ह़0' जिसे 'ज़बर' भी कहते हैं, 'अलिफ़' का 'लघुतर चिह्न' है। यह 'अ' का 'स्वर' माना जा सकता है।

   इसी प्रकार 'कस्र0', जिसे 'ज़ेर' भी कहते हैं, 'या' का 'लघुतर चिह्न' है। यह 'इ' का 'स्वर' माना जा सकता है। 'वाव' का 'लघुतर चिह्न' है 'ज़म्म0' जिसे 'पेश' भी कहते हैं। यह 'उ' का 'स्वर' माना जा सकता है।

   इस प्रकार "काफ़ पर 'फ़त्ह़0' (अथवा 'ज़बर') है" का अर्थ यह आदेश है कि 'क' पढ़ो, "काफ़ पर 'ज़म्म0' (अथवा 'पेश') है" का अर्थ यह आदेश है कि 'कु' पढ़ो, और "काफ़ पर 'कस्र0' (अथवा 'ज़ेर') है" का अर्थ यह आदेश है कि 'कि' पढ़ो।

   इन्हैं देवनागरी मैं व्यक्त करने मैं कोई कठिनाई नहीं है क्योंकि देवनागरी मैं 'क', 'कि', 'कु' वर्तमान हैं।

   'काफ़' की मूल ध्वनि को 'क्' से व्यक्त किया जायगा।

   किन्तु मेरे सॉफ़्टवेयर मैं 'हलन्त अ' उपलब्ध नहीं है। और यह होता भी क्यों, जब 'हलन्त अ' जैसी कोई चीज ही नहीं है। 'क्' लिखना तो समझ मैं आता है क्योंकि इससे यह स्पष्ट होता है कि अच्-विहीन हल्मात्र 'क्' की बात हो रही है, अच्-युक्त 'क' की बात नहीं हो रही है। लेकिन 'अच्-विहीन हल्मात्र 'अ' '

भला क्या चीज़ हो सकती है?

यह समस्या अरबी की नहीं जहाँ 'अलिफ़' और 'ऐन' दोनों ही व्यञ्जन हैं। उस वर्णमाला में स्वरों की सत्ता ही नहीं है। इस लिए अरबी शब्दों में 'अच्-विहीन हल्मात्र 'अलिफ़' ' और 'अच्-विहीन हल्मात्र 'ऐन' ', दोनों ही उपलब्ध हैं।

मैंने विवश हो कर 'हलन्त अ' के लिए अ॒ का चिह्न चुना है। किन्तु मैं मानता हूँ कि देवनागरी अ से अ॒ की सूचना देने में वैसे ही समर्थ है जैसे वह ल से ल् की सूचना देने में समर्थ है। इसलिए प्रायः अ से ही काम चलाना चाहिए।

2. ठीक इसी प्रकार 'हलन्त अ़' के लिए अ़॒ का चिह्न चुना गया है।

किन्तु मैं मानता हूँ कि देवनागरी अ़ से अ़॒ की सूचना देने में वैसे ही समर्थ है जैसे वह ल से ल् की सूचना देने में समर्थ है। इसलिए प्रायः अ़ से ही काम चलाना चाहिए।

3. फ़ारसी में एक ध्वनि है जिसका उच्चारण वैसा बताया जाता है जैसा अंग्रेज़ी शब्द azure में z का और फ्रांसीसी शब्द jour में j का; Steingass ने इसे zh लिखा है। इस तर्क पर इसका सम्बन्ध 'ज़' से वही है जो 'ज' से 'झ' का और इसे 'झ' के नीचे बिन्दी लगा कर वैसे ही बताना चाहिए जैसे 'ज' के नीचे बिन्दी लगा कर 'ज़' बना लिया गया है। यह तर्क स्वर्गीय श्री नन्दकुमार अवस्थी द्वारा विकसित 'विश्व नागरी' में अपनाया गया है जो निश्चय ही नागरी लिपि में परिवर्धन का अभी तक का सबसे सुचिन्तित प्रयास है। लखनऊ के भुवनवाणी ट्रस्ट द्वारा प्रकाशित पुस्तकों में 'विश्व नागरी' का प्रयोग देखा जा सकता है। इस स्तुत्य प्रयास की ओर जितना ध्यान दिया जाना चाहिए था, नहीं दिया गया है। मैंने भी इस ध्वनि के लिए 'विश्व नागरी' के अनुकरण पर 'झ' के नीचे बिन्दी लगा कर कहीं कहीं बताया था।

इसके साथ यह भी सच है कि देवनागरी में इसे बराबर ज़ से बताया जाता रहा है। इसे 'फ़ारसी ज़े' कहते हैं और इससे भी इसकी निकटता ज़ से ही प्रमाणित होती है। इसलिए मैंने अब ज़़ का लिपिचिह्न चुना है। इस प्रकार इस किताब में मुज़़्द0 और

मिज़्ज़0 पाठकौं को मिलेंगे। उच्चारण करने मैं, चूँकि ज़्ज़ मैं ज़ से जो भिन्नता है उसे मूल लिपिचिह्न ज़ से अलग नहीं दिखाया गया है इसलिए पाठकौं को यह स्पष्ट रहेगा कि ज़ और ज़्ज़ मैं उच्चारण-वैभिन्न्य है। यदि वे ज़्ज़ के लिए azure का z बोलें तो अच्छा है, किन्तु बहुत से उर्दूभाषी भी ज़्ज़ और ज़ मैं कोई अन्तर नहीं करते और 'मद्दाह' साहब के शब्दकोष मैं इस ध्वनि के लिए कोई अलग सूचना नहीं है।

अली सरदार जाफ़री ने इस ध्वनि के लिए 'श' के नीचे बिन्दी लगायी है। कुछ लोग 'ष' के नीचे बिन्दी लगाने का सुझाव देते हैं। जैसा मैं कह आया हूँ, इन सब चीज़ौं पर अभी काम होना बाक़ी है।

4. उर्दू मैं 'ख़े, वाव, अलिफ़' जब इसी क्रम से किसी फ़ारसी शब्द मैं आते हैं तो अधिकतर 'वाव' का उच्चारण नहीं होता। इसलिए ख़्वाब (= स्वप्न, नींद) और ख़्वाहिश (= चाहत) लिखना किन्तु ख़ाब और ख़ाहिश पढ़ना चाहिए। यह स्पष्टतः किसी देवनागरीकरण मैं नहीं बताया जाता। यहाँ तक कि 'मद्दाह' साहब के शब्दकोष मैं, जो उर्दू को देवनागरी मैं पढ़ने वालौं के लिए वरदान से कम नहीं, इसका कोई स्पष्टीकरण नहीं है कि ख़्व का अलग शीर्षक क्यौं दिया गया है। फलतः ख़्वाब मैं लगभग प्रत्येक देवनागरी पाठक 'व' का उच्चारण करता पाया जाता है। इसके लिए मैंने सर्वत्र ख़ा^{व} का चिह्न इस्तेमाल किया है। इस प्रकार ख़ा^{व}ब, और ख़ा^{व}हिश को ख़ाब और ख़ाहिश पढ़ना चाहिए।

ख़ा^{व}स्त0 (= चाहा हुआ) और ख़ास्त0 (= उठा हुआ) दोनौं ही ख़ास्त0 पढ़े जायँगे।

ऐसा ही 'वाव' के साथ कुछ अन्य स्थितियौं मैं भी होता है। उदाहरण के लिए ख़े^{व}श को ख़ेश पढ़ा जायगा।

इस तर्क पर किये गये देवनागरीकरण के अनुसार प्रचलित ख़ुद (= स्वयं) को भी ख़ु^{व}द लिखा जायेगा और उसका उच्चारण ख़ुद होगा। इसी प्रकार प्रचलित ख़ुश (= प्रसन्न) को ख़ु^{व}श लिखा जायेगा और उसका उच्चारण ख़ुश होगा।

पाठकों को यह कुछ ज़ियादा ही शुद्धतावादी लग सकता है, किन्तु उन्हें यह देखने के लिए कि ऐसा न करने के क्या दुष्परिणाम हो सकते हैं, इस विमर्श के परिशिष्ट (जो सरदार जाफ़री द्वारा सम्पादित और राजकमल पेपरबैक्स द्वारा प्रकाशित दीवान+ए+ग़ालिब पर केन्द्रित है) मैं दी गयी दरख़्वर शब्द (जिसका उच्चारण दरख़र होगा) की विवेचना पर ध्यान देना चाहिए।

मैंने ये विशेष चिह्न प्रायः काव्योद्धरणों मैं ही दिये हैं और सामान्य चर्चा मैं, चाहे वह किसी उर्दू गद्य का अवतरण ही क्यों न हो, प्रचलित वर्तनियाँ, जैसे ख़ुद तथा ख़ुश ही इस्तेमाल की हैं। Phillot के Higher Persian Grammar मैं ख़ुद ही इस्तेमाल हुआ है।

इस प्रकार के 'वाव' को 'वाव+ए+मअ़दूल0' कहते हैं।

अरबी शब्दों मैं 'ख़े, वाव, अलिफ़' के क्रम का पूर्ण उच्चारण होता है। उदाहरण के लिए ख़वास़ (= विशिष्ट लोग, 'ख़ास़' का बहुवचन)।

इस सम्बन्ध मैं पाठक को देवनागरीकरण पर विश्वास करना किसी नियम मैं बँधने से अधिक सुगम रहेगा। उदाहरण के लिए उर्दू मैं ख़ाव्र (= निकृष्ट), तथा ख़ुवार एक ही तरह से, अर्थात् 'ख़े, वाव, अलिफ़, रे' के क्रम से लिखे जाते हैं; इनमैं ख़ुवार (= खाद्य पदार्थ) फ़ारसी है तथापि 'व' का उच्चारण आवश्यक है और इस प्रकार यह शब्द ऊपर बताये गये नियम का पालन नहीं करता। ख़ुवार (= भेड़ या बकरी की आवाज़) अरबी शब्द है। ख़ाव्र (= निकृष्ट) का उच्चारण और ख़ार (= काँटा) का उच्चारण एक ही है, अर्थात् दोनों का उच्चारण ख़ार ही होगा।

3.3 भिन्नोच्चार्य समलेख्य

1. 'अ' से 'न्'

अरबी के कुछ शब्द ऐसे हैं जिनके अन्त मैं आये 'अलिफ़' का उच्चारण 'न्' होता है। ऐसे शब्दों मैं मैंने न^{अ} का चिह्न इस्तेमाल किया है।

उदाहरण के लिए दाइमन^{अ} (= निरन्तर) का उच्चारण दाइमन्

है, ग़ालिबनअ (= प्रबल सम्भावना है कि) का उच्चारण ग़ालिबन् है, ज़ाहिरनअ (= प्रकट है कि) का उच्चारण ज़ाहिरन् है।

ज़ाहिरनअ का उच्चारण ज़ाहिरा भी होता है। ऐसी स्थिति मैं अलग सङ्केत की आवश्यकता न थी क्यौंकि 'अलिफ़' अपने स्वभाव के अनुसार ही काम कर रहा है। फिर भी, यह बताना आवश्यक मानते हुए कि यह वही शब्द है जो ज़ाहिरनअ है, जब इसका उच्चारण ज़ाहिरा है तब भी मैंने इसे केवल ज़ाहिरा न लिख कर ज़ाहिराअ लिखा है।

किन्तु उर्दू मैं दोनौं शब्द एक ही तरह से लिखे जाते हैं।

2. 'ई' से 'आ' और 'ऊ' से 'आ'

अरबी के कुछ शब्द ऐसे हैं जिनमैं आये 'आ' की सूचना 'अलिफ़' से नहीं अपितु 'ये' से अथवा 'वाव' से दी जाती है। अरबी के विद्वान् बताते हैं कि अरबी मैं 'अलिफ़' की ध्वनि स्वतन्त्र न मानी जा कर 'ये' से अथवा 'वाव' से प्रसूत मानी जाती है। ऐसी जटिलता मैं उलझना 'दीप' जैसी योजना का काम है। फ़िलहाल इतना ही, कि एक शब्द ज़कावत (= इस्लाम का धार्मिक कर जो मुसलमान की आय का चालीसवाँ हिस्सा होता है) मैं 'का' के ऊपर का चिह्न केवल इतना बताता है कि यह 'आ' वस्तुतः 'ऊ' लिखा जाता है। यही बात सलावत (= इस्लाम की धार्मिक वन्दना; नमाज़) के लिए सच है।

मेरी समझ मैं कुछ अरबी शब्दौं की वर्तनी (यद्यपि उच्चारण नहीं) फ़ारसी मैं साग्रह सुरक्षित रखने, और कुछ अरबी शब्दौं की वर्तनी बदल देने की जो पद्धति फ़ारसी मैं स्वीकार की गयी है, वही उर्दू मैं भी स्वीकार की जानी चाहिए। इस प्रकार ह़आवत न लिख कर ह़यात लिखना चाहिए।

कविता की दृष्टि से अत्यन्त प्रासङ्गिक यह है कि इनमैं से जो दो शब्द कई बार ग़ालिब की कविता मैं आयैंगे वे हैं दो प्रसिद्ध नाम, 'ईसा' और 'लैला'। फ़ारसी मैं इनके 'ईसी' और 'लैली' उच्चारण भी स्वीकृत हैं और ग़ालिब ने इसका उपयोग किया है। मैंने इस विशेष प्रकार के 'आ' (या 'ई') के लिए मात्रा के ऊपर

य का इस्तेमाल किया है। इस प्रकार 'लैला' उच्चारण के लिए लैला[य] लिखा गया है।

'लैली' उच्चारण की स्थिति में अलग सङ्केत की आवश्यकता न थी क्यौंकि 'या' अपने स्वभाव के अनुसार ही काम कर रहा है। फिर भी, यह बताना आवश्यक मानते हुए कि यह वही शब्द है जो लैला[य] है, जब इसका उच्चारण लैली है तब भी मैंने इसे केवल लैली न लिख कर लैली के लिए लैली[य] लिखा है।
किन्तु उर्दू में दोनों शब्द एक ही तरह से लिखे जाते हैं।
मैं ग़ालिब के दोनों प्रयोगों के उदाहरण देता हूँ।
एक ग़ज़ल का मतला है:

> बेताबी+ए+याद+ए+दोस्त, हमरंग+ए+तसल्ली है
> ग़ाफ़िल!, तपिश+ए+मजनूँ, मह्मिल-कश+ए+लैली[य]
> है॥

इसमें आगे जंगी है, साक़ी है, ख़ाली है, शादी है, गेती है, मअ़नी है आते हैं। यहाँ लैली का प्रयोग किया।
एक दूसरी ग़ज़ल का मतला है:

> तग़ाफ़ुल-मश्रिबी से नातमामी बस किø पैदा है
> निगाह+ए+मस्त दर चश्म+ए+बुताँ ज़ुन्नार+ए+मीना
> है॥

इस ग़ज़ल का दूसरा शेर है:

> तस़र्रुफ़ वह्शियों में है, तस़व्वुर-हा+ए+मजनूँ का
> सवाद+ए+चश्म+ए+आहू,
> अ़क्स+ए+ख़ाल+ए+रूय+ए+लैला[य] है॥

इसमें आगे ज़ुलैख़ा है, तमन्ना है, बर पा है, रहता है आते हैं। यहाँ लैला का प्रयोग किया।
एक अन्य शब्द दअवा[य] को भी ग़ालिब ने कहीं दावा उच्चारण के साथ तथा कहीं दावी उच्चारण के साथ बरता है; इसको ठीक से न समझने के कारण सरदार जाफ़री ने भारी भूल अपने लिप्यन्तरण

मैं की है। विशेष विवरण नीचे 'इज़ाफ़त' के अन्तर्गत, तथा परिशिष्ट 'आना ही समझ मैं मेरी आता नहीँ गो आये।' के अन्तर्गत उपलब्ध है।

3. अन्त्याक्षर 'छोटी हे'

'छोटी हे' सामान्यतः 'ह' से बतायी जानी चाहिए। किन्तु अन्त्याक्षर 'छोटी हे' कई काम करती है और यद्यपि वह उर्दू मैं भिन्नलेख्य नहीँ है, देवनागरी मैं उसके अलग अलग कामौं के लिए अलग अलग लिपिचिह्न ही व्यवहृत होने चाहिए। इन्हैं मैं नीचे देता हूँ।

(क) अन्त्याक्षर 'छोटी हे' जब अपने मूल रूप मैं उच्चार्य है तब उसे 'ह' के रूप मैं ही लिखा गया है। अतः **सियह** (= काला; यह 'सियाह' का लघु रूप है), **नुह** (= नौ; सङ्ख्या-वाची) और **निह** (= रखो; आदेशात्मक क्रिया) मैं आयी अन्त्याक्षर 'छोटी हे' को 'ह' के रूप मैं ही लिखा गया है और उसका उच्चारण वैसे ही होगा जैसे लिखा गया है।

(ख) दूसरी ओर, **बाद**0 (= शराब) मैं आयी अन्त्याक्षर 'छोटी हे' को शून्य के रूप मैं '0' लिखा गया है। यहाँ यह 'मख़्फ़ी' अथात् 'छिपी हुई' कहलाती है। **बाद**0 का उच्चारण **बादा** भी हो सकता है और **बाद** भी। आगे 'इज़ाफ़त' के प्रकरण मैं इसे स्पष्ट करैंगे।

(ग) निषेधात्मक 'न' मैं भी अन्त्याक्षर 'छोटी हे' है और इसका साधारणतया देवनागरीकरण मैं सङ्केत नहीँ किया जाता। मैंने इसके लिए **न**ø का चिह्न इस्तेमाल किया है। इस प्रकार ø का आना यह बताता है कि यद्यपि अन्त्याक्षर 'छोटी हे' मौजूद है फिर भी उसका उच्चारण बिल्कुल नहीँ होगा। यही बात **ब**ø के लिए सही है। 'पर' और 'वह' के अन्त्याक्षर उर्दू मैं कई बार काट दिये जाते हैं और देवनागरी मैं 'उस पे', 'वो बोला' आदि से रूपान्तरित किया जाता है। मैंने **प**ø और **व**ø से रूपान्तरित किया है। उच्चारण **उस प**ø का **उस प** और **व**ø **बोला** का **व बोला** होगा।

यहाँ कुछ रुक कर ग़ालिब के एक प्रयोग पर ध्यान देना उचित

होगा। समस्या को समझने के लिए श्री शम्सुर्रहमान फ़ारूक़ी के[1] ये वाक्य प्रासङ्गिक हैं:

(मैंने) अल्फ़ाज़ का इमाला (= लिपीकरण) वह इख़्तियार किया है (= अपनाया है) जो आजकल राइज (= प्रचलित) है। 'नुस्ख0+ए+अर्शी'(= अर्शी साहब द्वारा सम्पादित संस्करण) और बहुत से दीगर एडीशनों मैं यह इलज़ाम (= अनिवार्यत्व) रखा गया है कि अगर 'हा+ए+ हव्वज़ (= छोटी हे)' पर ख़त्म होने वाले लफ़्ज़ का क़ाफ़िय0 'अलिफ़'(= यहाँ तात्पर्य 'आ' से है) वाले लफ़्ज़ से किया गया हो तो 'हा+ए+ हव्वज़ (= छोटी हे)' को 'अलिफ़'(= यहाँ तात्पर्य 'आ' से है) मैं बदल देते हैं। मसलन्, मुन्दर्ज0+ए+ज़ैल (= निम्नाङ्कित) मिसरे मैं:

कुछ उधर का भी इशार0 चाहिए

अकसर लोगों ने "इशार0" को "इशारा" लिखा है। मैंने इस इल्तिज़ाम (= अनिवार्यत्व-परक निर्वाह) को ग़ैर-मुन्तक़ी (= तर्कहीन) और ग़ैर-ज़रूरी जान कर तर्क कर दिया है (= अस्वीकार कर दिया है)। लेकिन मुन्दर्ज0+ए+ज़ैल (= निम्नाङ्कित) मिसरे मैं:

हमारी बात ही पूछैं न∅ वह तो क्यौंकर हो

"वह" बरवज़्न (= समतुल्य) "को" है, और तमाम लोगों ने "वो" लिखा है जो बहुत बदनुमा (= कुरूप) और मंसूई (= यादृच्छिक) मालूम होता है। यहाँ मैंने मजबूरन् "वो" इख़्तियार किया है (= अपनाया है) ताकि क़ारी (= पाठक) को यह गुमान (= भ्रम) न हो कि मौजूद0 ज़माने (= वर्तमान समय) मैं भी "वह" और "को" का क़ाफ़िय0 कर सकते हैं।

फ़ारूक़ी साहब ने दो बातैं कही हैं। पहली 'अन्त्याक्षर छोटी हे' के उस रूप को जिसे मैंने '0' से बताया है, 'आ' की मात्रा के

[1] 'इन्तिख़ाब+ए+उर्दू-कुल्लियात+ए+ग़ालिब' (साहित्य अकादमी, 1993) की भूमिका से।

समतुल्य होने पर 'आ' की मात्रा के रूप मैं ही लिखे जाने को लेकर है। इसमैं मेरी उनसे पूर्ण सहमति है और मैंने जब बाद0 का उच्चारण बादा करना अनिवार्य है तब भी उसे बाद0 ही लिखा है, बादा नहीँ।

तथापि यह कहना आवश्यक है कि फ़ारूक़ी साहब ने अपने सिद्धान्त का तर्कसङ्गत निर्वाह नहीँ किया। 'अन्त्याक्षर छोटी हे' का वह रूप, जिसे मैंने '0' से बताया है, 'आ' की मात्रा के समतुल्य एक अन्य विधि से भी बताया जाता है। मैं एक उदाहरण देता हूँ। एक शेर है जिसे मैंने 'नुक़ूश' पत्रिका के उस अङ्क से लिया जिसमैं ग़ालिब की हस्तलिपि मैं ही सङ्कलित उनका काव्य मुद्रित है। जब इसे 'नुक़ूश' पत्रिका मैं पाठकौं की सुविधा के लिए पठनीय सुलेख मैं दिया गया है तो इसका रूप यह है:

किस दिल पø है अज़्म+ए+सफ़+ए+मिज़्रगान+ए+ख़ुर्वद-
आरा
आईने के पायाब से उतरी हैं सिपाहैं॥

अर्शी संस्करण मैं भी यौं ही लिखा गया है, और शम्सुर्रहमान फ़ारूक़ी के सञ्चयन मैं भी यही है। किन्तु मुफ़्ती अनवारुल्हक़ द्वारा सम्पादित 'नुस्ख़0+ए+हमीदिया' संस्करण मैं इसे यौं लिखा गया था:

किस दिल पø है अज़्म+ए+सफ़+ए+मिज़्रगान+ए+ख़ुर्वद-
आरा
आईन0 की पायाब से उतरी हैं सिपाहैं॥

स्पष्ट है कि एक अन्तर तो यह है कि मुफ़्ती अनवारुल्हक़ के अनुसार 'पायाब' शायद स्त्रीलिंग है और अर्शी, निसार अहमद फ़ारूक़ी तथा शम्सुर्रहमान फ़ारूक़ी के अनुसार शायद पुंल्लिंग। 'शायद' इसलिए कि यद्यपि एक समझौता है जिसके अनुसार 'ए' और 'ई' के लिए अब उर्दू मैं अलग आकृतियौं की 'ये' इस्तेमाल होती हैं, उस समझौते का पालन करने की कोई बाध्यता नहीँ है और 'के' लिखने वाला हमेशा यह दावा कर सकता है कि उसने 'की' लिखा है।

इस प्रपञ्च में न पड़ कर, प्रस्तुत विषय पर आते हैं।
'आईने पर' लिखना चाहिए कि 'आईन0 पर'?
मैं ग़ालिब की कौन कहे, किसी की भी 'उर्दू हस्तलिपि' पढ़ने में सक्षम नहीं हूँ और टाइपसेट उर्दू तक ही मेरी पहुँच है। फिर भी, 'नुक़ूश' देखने के बाद मुझे इसमें संशय नहीं कि ग़ालिब ने 'आईन0 पर' ही लिखा है।
यह कोई अकेला उदाहरण नहीं। एक शेर और देता हूँ; इसे भी मैंने 'नुक़ूश' पत्रिका के उसी अङ्क से लिया है:

> ख़ाॅब+ए+ग़फ़लत बø-कमींगाह+ए+नज़र पिन्हाँ है
> शाम साय0 में बø-ताराज+ए+सहर पिन्हाँ है॥

'नुक़ूश' में सुलेख प्रस्तुत करते समय पिछले शेर की तरह ग़ालिब की लिखावट बदली नहीं गयी, 'साय0 में' ही लिखा गया, 'साये में' नहीं।
शम्सुर्रहमान फ़ारूक़ी के सञ्चयन में, और अर्शी साहब के संस्करण में यह इस प्रकार दिया हुआ है:

> ख़ाॅब+ए+ग़फ़लत बø-कमींगाह+ए+नज़र पिन्हाँ है
> शाम साये में बø-ताराज+ए+सहर पिन्हाँ है॥

ऐसा ही यह 'नुस्ख़0+ए+हमीदिया' संस्करण में भी लिखा गया था।
ऐसे उदाहरणों और उनकी भिन्नताओं की बहुतायत है।
अर्शी साहब के यहाँ एक सिद्धान्त अपनाया गया है, वे 'साये में' लिखते हैं, 'साय0 में' नहीं। और यही फ़ारूक़ी साहब करते हैं। इस प्रकार लगता है कि मूल शब्द 'साया' स्वीकार किया गया, 'साय0' नहीं। किन्तु यह सच नहीं, क्योंकि सर्वत्र 'साय0' ही लिखा जाता है, 'साया' नहीं। अर्शी साहब के यहाँ एक अपवाद है, वे क़ाफ़िय0 करने की ज़रूरत से 'इशार0' को 'इशारा' लिखने के लिए तैयार हैं किन्तु हमने अभी ऊपर देखा है कि फ़ारूक़ी साहब ने कितनी दृढतापूर्वक इसे अस्वीकार किया है। दूसरी ओर 'नुस्ख़0+ए+हमीदिया' में एकरूपता का अभाव है और यही एकरूपता का अभाव 'नुक़ूश' के सु-लेखन में भी

है।

'आईने से', और 'साये में' तभी लिखे जा सकते हैं जब 'आईन0', 'साय0' और 'ज़र्र0' आदि को 'आईना' और 'ज़र्रा' माना जाय और उस पर हिंदी का व्याकरण लगाया जाय जिसके अनुसार 'आ'-कारान्त पुंल्लिङ्ग संज्ञा में 'के', 'पर', 'से' जैसी विभक्तियाँ लगाने पर, या बहुवचन बनाने पर अन्त्य 'आ' का 'ए' हो जाता है। 'दहीबड़ा' से जिस प्रकार 'दहीबड़े पर', 'भैंसा' से जिस प्रकार 'भैंसे पर', उसी प्रकार 'आईना' से 'आईने पर' और 'ज़र्रा' से 'ज़र्रे पर'।

फिर हम शब्द क्या मानें, 'आईन0' या 'आईना'?

ग़ालिब के समकालीन कवि ज़ौक़ से यह उद्धरण प्रासङ्गिक है:

> मुअज़्ज़िन मरहबा! बरवक़्त बोला
> तेरी आवाज़ मक्के और मदीने॥

यहाँ 'मक्क0' और 'मदीन0' में आयी 'अन्त्याक्षर छोटी हे' को 'ए' से बदल दिया गया है।

इस सम्बन्ध में मेरा सोचना यह है कि मूल प्रश्न यह है कि 'आईन0' को हिंदी का शब्द माना जा रहा है या नहीं। व्यवहारतः इसे हिंदी का शब्द माना जाता था यह ज़ौक़ के उद्धरण से प्रकट है। किन्तु सिद्धान्त इसके विपरीत है और 'आईन0' को 'आईना' में बदल देना 'तग़ईर (= परिवर्तन)' कहलाता है क्योंकि फ़ारसी में 'दर आईन0 (= आइने में)' या 'आईन0-रा (= आइने का)' लिखते समय फ़ारसी शब्द 'आईन0' (या 'आइन0') का रूप नहीं बदलता। यह 'तग़ईर (= परिवर्तन)' ही वह दोष है जिसके नाते श्री शम्सुर्रहमान फ़ारूक़ी को 'इशार0' का 'इशारा' लिखा जाना 'ग़ैर-मुन्तक़ी (= तर्कहीन) और ग़ैर-ज़रूरी' लगा है।

मैं कम-अज़-कम ग़ालिब के सन्दर्भ में 'आईन0' और 'इशार0' लिखना उचित मानता हूँ, और मेरी समझ में यही बात और जगहों पर लागू होती है, अर्थात् 'आईन0 के' लिखना चाहिए, 'आईने के' नहीं, 'ज़र्र0 पर' लिखना चाहिए, 'ज़र्रे पर' नहीं। इसका कारण यह है कि ग़ालिब ने प्रायः 'आईन0-हा' लिखा है, 'आईने' कम ही मिलेगा; 'बर आइन0', 'दर आइन0', और

'अज़ आइन0' की तो भरमार है। वे न केवल शब्दौं के लिए, अपितु व्याकरण के लिए भी, फ़ारसी की तरफ़ मुड़ते हैं। ऐसी परिस्थिति मैं 'साये मैं' और 'ज़र्रे पर' लिखने से ग़ालिब का मूल आग्रह बदल जाता है।

यह सवाल उठाया जा सकता है कि क्या हमारे लिए 'साय0 मैं' लिखना और 'साये मैं' पढ़ना ठीक है? मेरी समझ मैं यह उतना ही ठीक या ग़लत है जितना 'साय0' लिख कर कहीं 'साया' और कहीं 'साय' पढ़ना। इस दुहरी पढ़ाई को समर्थन फ़ारसी से मिलता है, भारत की स्थानीय भाषाऔं से नहीं। ऐसा ही अवास्तविक समर्थन हम इस तिहरी पढ़ाई के लिए भी जुटा सकते हैं यदि हम यह स्मरण करैं कि भारत के बाहर 'साय0' का एक उच्चारण 'साये' भी है और इस तरह पढ़ सकने वालौं की ग़ालिब के आसपास कोई कमी न थी; उनका वास्तविक या काल्पनिक काव्यगुरु 'हुर्मुज्द', जिससे उन्हौंने 'फ़ारसी सीखी', निश्चय ही यह तिहरी पढ़ाई कर सकता था।

देवनागरी मैं कोई लिपिचिह्न नहीं जो एक साथ कहीं 'आ', कहीं 'अ' और कहीं 'ए' बता सके। मैं समझता हूँ कि '0' का चुनाव इस दृष्टि से उपयुक्त है; 'शून्य' होने के नाते वह 'अन्त्याक्षर छोटी हे' के 'लोप' को भी बता सकने मैं सक्षम है।

फ़ारूक़ी साहब की दूसरी बात, जो "वो" को "वह" मान कर चलती है, मेरी समझ मैं ठीक नहीं। हम आसानी से यह समस्या दूर कर सकते हैं यदि हम इस पर ध्यान दैं कि फ़ारसी मैं 'अलिफ़, वाव' से 'ओ' लिखा जाता है और उसका अर्थ 'वह' होता है। मेरी समझ मैं ग़ालिब ने 'वह' इस्तेमाल ही नहीं किया है, 'अलिफ़, वाव' वाला 'ओ' इस्तेमाल किया है और हमैं 'वह' का 'वो' बनाने की विवशता मैं पड़ने की कोई ज़रूरत नहीं। 'अलिफ़, वाव' वाले 'ओ' का क़ाफ़िया 'काफ़, वाव' वाले 'को' के साथ बख़ूबी किया जा सकता है।

ग़ालिब की भाषा (मैं उनके उच्चारण की बात नहीं कर रहा हूँ जो शायद ज़ौक़ के उच्चारण से बहुत भिन्न न होगा) मैं एक भूगोल मैं परदेसी किन्तु साहित्य मैं देसी सूरज की अतिरिक्त चमक है, यदि

'मीर' अपनी भाषा की तलाश मैं जामा मस्जिद की सीढ़ियाँ पर बैठना चाहते थे तो ग़ालिब 'बेदिल' के दीवान की ओर मुड़ते थे। जिन कारणाँ से 'बेदिल' को आज मध्य एशिया के साहित्य के इतिहास मैं भारत के साहित्य के इतिहास से हज़ार गुना अधिक महत्त्व प्राप्त है, जिन कारणाँ से बिहार मैं जनमे दिल्ली मैं मरे और कभी विदेश न गये भोजपुरीभाषी 'बेदिल' को ताजिकिस्तानी ताजिक, उज़बेकिस्तानी उज़बेक, और अफ़ग़ानिस्तानी अफ़ग़ान मानते हैं, ठीक उन्हीं कारणाँ से 'समरक़न्दी ग़ालिब' 'समरक़न्दी बेदिल' को अपना मानते हैं। 'बेदिल' का नाम ग़ालिब ने अपनी चिट्ठियाँ मैं कहीं 'उर्फ़ी' और कहीं 'नज़ीरी' कर दिया है किन्तु इससे कोई फ़र्क़ नहीं पड़ता, वे 'बेदिल' की फ़ार्सी को उर्दू मैं बराबर लिखते रहे हैं और शब्द, कल्पना, तथा उच्चारण मैं 'बेदिल' ही उनके आदर्श हैं। 'तर्ज़+ए+बेदिल मैं रेख़्त0 लिखना' फ़ारसी भाषा का भी उर्दू मैं यथातथ निवेशन था।

साहित्य का देस और परदेस राजनीतिक भूगोल के देस और परदेस से एकरस हो, यह आवश्यक नहीं, बल्कि ऐसा कम ही होता है कि साहित्य का देस और परदेस राजनीतिक भूगोल के देस और परदेस से एकरस हो:

सराब+ए+यक़ीं हैं परेशाँ-निगाहाँ
असद को गर अज़ चश्म+ए+कम देखते हैं
कि∅ हम बैज़0+ए+तूती+ए+हिन्द, ग़ाफ़िल!
तह+ए+बाल+ए+शम्अ+ए+हरम देखते हैं॥ [2]

उर्दू मैं **नुह**, **निह**, **न∅** एक ही तरह लिखे जाते हैं; इसी प्रकार **बह**, **बिह** और **ब∅** की वर्तनी एक है।

(घ) मैं अब ∅ और 0 का अन्तर स्पष्ट करने के लिए ग़ालिब की एक ग़ज़ल का उदाहरण देता हूँ।

मतला है:

ता चन्द नाज़+ए+वहशत+ए+मयख़ान0 खींचिए

[2] 'जहाँ तेरा नक़्श+ए+क़दम देखते हैं' से प्रारम्भ होने वाली प्रसिद्ध ग़ज़ल की अन्तिम पङ्क्तियाँ। किशोरावस्था मैं लिखी गयी इस ग़ज़ल की ये पङ्क्तियाँ प्रचलित दीवान मैं अनुपस्थित हैं।

जूँ शम्अ, दिल ब∅ ख़ल्वत+ए+जानान0 खीँचिए॥

इसमेँ आगे शान0 खीँचिए, अफ़्सान0 खीँचिए, दीवान0 खीँचिए, बेजा न∅ खीँचिए, पैमान0 खीँचिए और वीरान0 खीँचिए इसी क्रम से आते हैँ। इस ग़ज़ल मेँ उच्चारण मयख़ान खीँचिए, जानान खीँचिए, शान खीँचिए, अफ़्सान खीँचिए, दीवान खीँचिए, बेजा न खीँचिए, पैमान खीँचिए और वीरान खीँचिए होगा। अन्य परिस्थितियोँ मेँ ये ही मयख़ान0, जानान0, शान0, अफ़्सान0, दीवान0, पैमान0 और वीरान0 क्रमशः मयख़ाना, जानाना, शाना, अफ़्साना, दीवाना, पैमाना, और वीराना के रूप मेँ भी उच्चरित हो सकते हैँ किन्तु बेजा न∅ को कभी भी बेजा ना नहीँ पढ़ा जा सकता। निषेधार्थक ना से भ्रम मेँ न पड़ना चाहिए; उसकी वर्तनी 'नून, अलिफ़' है।

3.4 इज़ाफ़त

इज़ाफ़त समास-रचना से मिलती जुलती है; 'तपिश+ए+दिल =दिल की तपिश' को मैँने दोनोँ शब्दोँ 'तपिश' और 'दिल' के बीच एक योजक चिह्न +ए+ से जोड़ दिया है, इसका उच्चारण 'तपिशेदिल' होगा।

देवनागरीकरण मेँ प्रायः 'तपिशेदिल' या 'तपिशे दिल' प्रयुक्त होता रहा है। इससे दो समस्याएँ उत्पन्न होती हैँ। पहली यह कि शब्द का रूप 'तपिश' न दिख कर 'तपिशे' दीखता है। दूसरी, जो ग़ालिब की फ़ारसी-मय उर्दू के सन्दर्भ मेँ अधिक महत्त्वपूर्ण है, यह कि फ़ारसी मेँ 'तपिशे (= वह तपिश, एक तपिश)' भी उपलब्ध होगा और यह तय करने मेँ भ्रम हो सकता है कि क्या अभिप्रेत है।

इसलिए मैँने +ए+ के योजक चिह्न का प्रयोग किया। इसका प्रभाव उच्चारण के सन्दर्भ मेँ कई तरह से पड़ सकता है और मैँ उनके उदाहरण आगे देता हूँ।

चूँकि अधिकतर यह प्रभाव एॅ, अर्थात् 'ए' के ह्रस्व उच्चारण जैसा, (भोजपुरी के केॅ करा मेँ आये 'ए' के निकट) पड़ता है इस लिए भुवनवाणी ट्रस्ट द्वारा प्रकाशित जदीद उर्दू-हिन्दी कोष मेँ ह्रस्व 'ए' के लिए एक नया मात्रा-चिह्न टाइपसेट कर लिया गया है और उसे इज़ाफ़त के लिए सर्वत्र इस्तेमाल किया गया है। यह ठीक वही ग़लती

है जो सरदार जाफ़री करते हैं जब वे इज़ाफ़त के लिए सर्वत्र 'ज़ेर की अलामत' की बात करते हैं और 'ज़ेर की अलामत' को देवनागरी मैं शामिल करने का सुझाव देते हैं।

'ए' के ह्रस्व उच्चारण के लिए मात्रा-चिह्न की आवश्यकता देवनागरी मैं शायद है और ऊपर मैं इस पर बात कर आया हूँ, किन्तु उसे इज़ाफ़त के लिए इस्तेमाल करना एक मात्रा-चिह्न की बरबादी तो है ही, भ्रामक भी है क्योंकि योजक चिह्न +ए+ का प्रभाव 'ए' के दीर्घ उच्चारण के रूप मैं भी बराबर होता है। यह मैं ऊपर कह चुका हूँ।

भिन्न परिस्थितियों मैं '+ए+' का क्या प्रभाव उच्चारण पर होगा, इसे मैं नीचे स्पष्ट करता हूँ।

1. यदि '+ए+' के पूर्व के शब्द का अन्तिमाक्षर '0' से बताया गया है तो '0' का उच्चारण 'आ' का प्रभाव न डाल कर 'अ' का प्रभाव डालेगा। इस प्रकार 'बाद0+ए+देरीन0 (= पुरानी शराब)' मैं 'बाद (पूरा द पढ़ते हुए) ए देरीना' उच्चारण होगा। स्वयं इज़ाफ़त वाली '+ए+' का उच्चारण 'दीर्घ ए' भी हो सकता है और 'ह्रस्व ए' भी।

   उदाहरण के लिए ग़ालिब के ये शेर लीजिए जो इस आलेख मैं पहले भी आ चुके हैं:

   मौज+ए˘ +ख़मयाज़ा0+ए+यक नश्श0 चिø इस्लाम चिø
   कुफ़्र
   कजी˘ +ए+यक ख़त़+ए+मिस्त़र चिø तवह्हुम चिø यक़ीं
   क़िब्ल0+ओ+अब्रू˘ +ए+बुत,   यक
   रह+ए+ख़ा`बीद0+ए+शौक़
   कअ़˘ब0+ओ+बुतकद0   यक
   मह़मिल+ए+ख़ा`ब+ए+संगीं

इसमैं 'ख़मयाज़ा0+ए+यक' मैं भी '+ए+' का उच्चारण 'ह्रस्व ए' है और 'ख़ा`बीद0+ए˘ +शौक़' मैं भी '+ए+' का उच्चारण 'ह्रस्व ए' है।

किन्तु

मह़मिल+ए+पैमान0+ए+फ़ुर्स़त है बर दोश+ए+ह़बाब
दअ़वी`+ए+दर्याकशी ओ नश्श0-पैमाई अ़बस़॥

मैं 'मह्मिल + ए + पैमान0 + ए + फ़ुर्सत' के अन्तर्गत '+ ए +' का उच्चारण (द्रोनौं जगह) 'दीर्घ ए' है।

इसी प्रकार

> शब किø वह मजलिस-फ़ुरोज़ + ए + ख़ल्वत + ए + नामूस था
> रिश्त0 + ए + हर शम्अ ख़ार + ए + किस्वत + ए + फ़ानूस था॥

मैं 'रिश्त0 + ए + हर' के अन्तर्गत '+ ए +' का उच्चारण 'दीर्घ ए' है।

2. यदि '+ ए +' के पूर्व के शब्द का अन्तिमाक्षर 'आ' की मात्रा से युक्त है तो उसके उच्चारण मैं कोई अन्तर नहीं होगा। ऊपर दी गयी 'दाग़' की ग़ज़ल मैं आये 'माजरा + ए + दिल' का उच्चारण 'माजरा ए˘ दिल्' है।
स्वयं इज़ाफ़त वाली '+ ए +' का उच्चारण 'दीर्घ ए' भी हो सकता है और 'ह्रस्व ए' भी।
उदाहरण के लिए ग़ालिब का यह शेर लीजिए:

> शुमार + ए + सुब्ह़0 मर्ग़ूब + ए + बुत + ए + मुश्किल-पसन्द आया
> तमाशा + ए + बø-यक-क़फ़-बुर्दन + ए + स़द दिल पसन्द आया॥

इसमैं 'तमाशा + ए +' का उच्चारण तमाशा ए है, 'दीर्घ ए' के साथ।
दूसरी ओर, ग़ालिब का यह शेर लीजिए:

> कावकाव + ए + सख़्तजानी-हा + ए˘ + तन्हाई नø पूछ
> सुब्ह़ करना शाम का, लाना है जूय + ए + शीर का॥

इसमैं 'सख़्तजानी-हा + ए˘ +' का उच्चारण सख़्तजानी-हा ए˘ है, 'ह्रस्व ए' के साथ।

3. यदि '+ ए +' के पूर्व के शब्द का अन्तिमाक्षर 'ई' की मात्रा से युक्त है तो उसके उच्चारण मैं 'ई' साधारणतया 'इ' मैं बदल जायेगी। 'शोख़ी + ए + दिल' का उच्चारण साधारणतया 'शोख़ि ए दिल्'

होगा और जब यह बताना होगा तो मैं उसे शोख़ी˘ +ए+दिल् लिखूँगा।

किन्तु यह नियम सार्वत्रिक नहीं है। ग़ालिब का शेर है:

> पर+ए+पर्वान0 शायद बादबान+ए+कश्ती˘ +ए+मय था
>
> हुई गर्मी+ए˘ +मजलिस से रवानी दौर+ए+साग़र की॥

इसमें 'कश्ती˘ +ए+मय' का उच्चारण कश्ति ए मय् है जब कि 'गर्मी+ए˘ +मजलिस' का उच्चारण गर्मी ए˘ मजलिस् है। जैसा कि देखा जा सकता है, स्वयं इज़ाफ़त वाली '+ए+' का उच्चारण 'कश्ती˘ +ए+मय' में 'दीर्घ ए' है जब कि 'गर्मी ए˘ मजलिस्' में 'ह्रस्व ए' है।

यहाँ मैं दो उदाहरण देता हूँ जिनसे प्रकट हो जायेगा कि ग़ालिब को वर्तमान समय में उर्दू में लिखना भी कितना समस्यायुक्त हो रहा है। ग़ालिब की एक ग़ज़ल इस शेर से प्रारम्भ होती है:

> नाज़+ए+लुत्फ़+ए+इश्क़ बावस्फ़+ए+तवानाई अ़बस़
>
> रंग है संग+ए+महक दअ़वा^{य}+ए+मीनाई अ़बस़॥

इसमें मैंने 'दअ़वा^{य}+ए+मीनाई' लिखा। यहाँ बात यह है कि इज़ाफ़त की '+ए+' के पहले की 'आ' वाली मात्रा का दीर्घ उच्चारण छन्द के निर्वाह के लिए आवश्यक है। दअ़वा^{य} शब्द एक ही वर्तनी में दअ़वा^{य} पढ़ कर दावा उच्चारण के साथ भी बरता जा सकता है और दअ़वी^{य} पढ़ कर दावी उच्चारण के साथ भी बरता जा सकता है। यद्यपि जैसा हमने अभी देखा, चाहने पर यहाँ दअ़वी^{य} पढ़ कर दावी उच्चारण के साथ भी बरतना सम्भव था, मैंने दअ़वा^{य} पढ़ कर दावा उच्चारण के साथ बरतना ठीक माना है क्योंकि इससे ऊपर बताया गया नियम 2, अर्थात् 'यदि '+ए+' के पूर्व के शब्द का अन्तिमाक्षर 'आ' की मात्रा से युक्त है तो उसके उच्चारण में कोई अन्तर नहीं होगा।' यहाँ सुविधा से लागू हो जाता है। चूँकि दअ़वा^{य} शब्द का हिंदी में प्रसिद्ध उच्चारण दावा है इसलिए यह और भी उपयुक्त था।

संयुक्त पद का उच्चारण दावा ए˘ मीनाई होगा।

इसी ग़ज़ल में एक शेर है:

महमिल+ए+पैमान0+ए+फ़ुर्सत है बर दोश+ए+हबाब
दअवीय+ए+दर्याकशी ओ नश्श0-पैमाई अबस॥

इसमैं मैंने 'दअवीय+ए+दर्याकशी' लिखा। यहाँ बात यह है कि इज़ाफ़त की '+ए+' के पहले की मात्रा का ह्रस्व उच्चारण छन्द के निर्वाह के लिए आवश्यक है। यह दअवीय पढ़ कर दावी उच्चारण के साथ तो हो सकता था, अर्थात् दावि ए दर्याकशी तो पढ़ा जा सकता था किन्तु दअवाय पढ़ कर दावा उच्चारण के साथ नहीँ हो सकता था, अर्थात् दाव ए दर्याकशी नहीँ पढ़ा जा सकता था॥

मेरे सामने तो विवशता है क्योँकि मुझे देवनागरी मैं लिखना है और मुझे अलग-अलग वर्तनियाँ इस्तेमाल मैं लानी ही पड़ैंगी। किन्तु उर्दू मैं क्योँ पहले शेर मैं प्रो निसार अहमद फ़ारूक़ी ने 'दाल, ऐन, वाव, अलिफ़' लिख कर दावा ए मीनाई उच्चारण की माँग की है जब कि दावा शब्द की वर्तनी 'दाल, ऐन, वाव, ये' है और इतना ही लिखना चाहिए था (अधिक 'पाठक-सुहृद्' अर्थात् reader-friendly लेखन मैं 'ये' के ऊपर 'अलिफ़' का सङ्केत दिया जा सकता था)?

दावा शब्द की वास्तविक वर्तनी, 'दाल, ऐन, वाव, ये', दूसरे शेर मैं इस्तेमाल की गयी है और दावि ए दर्याकशी उच्चारण की माँग की गयी है।

यही अर्शी साहब ने किया है।

ग़ालिब ने जब ये शेर ख़ुद लिखे हैं तो वर्तनी के साथ कोई छेड़छाड़ नहीँ की है, दोनौँ जगह 'दाल, ऐन, वाव, ये' लिखा है; इसी वर्तनी से दावा ए मीनाई उच्चारण की माँग की है, इसी वर्तनी से दावि ए दर्याकशी उच्चारण की माँग की है।

शायद यह कहा जा सकता है कि ऐसा करना इसलिए आवश्यक है कि समकालीन उर्दू पाठक को उच्चारण करने मैं कठिनाई न हो। इसी तर्क पर ज़काव़त मैं प्रायः लोग 'ज़े, काफ़, अलिफ़, ते', और सलाव़त मैं 'स्वाद, लाम, अलिफ़, ते' लिखने लगे हैं जब कि वर्तनियाँ क्रमशः 'ज़े, काफ़, वाव, ते' और 'स्वाद, लाम, वाव, ते' हैं (अधिक 'पाठक-सुहृद्' लेखन मैं 'वाव' के

ऊपर 'अलिफ़' का सङ्केत दिया जा सकता है)।

किन्तु यदि ऐसा ही है, और उर्दू की लिपि मेँ 'सुधार' अपेक्षित ही है, तो फिर आधे मन से क्योँ? फिर 'ज़्वाद', 'ज़ोय', आदि हटा कर 'जे' से काम क्योँ न चलाया जाय, 'से', 'स्वाद' हटा कर 'सीन' से काम क्योँ न चलाया जाय। फिर 'ऐन' को 'अलिफ़' क्योँ न माना जाय और 'हम आ़शिक़' मेँ 'ऐन' गिरा कर 'हमाशिक़' पढ़ने मेँ क्या सङ्कोच है?

मैँ पहले कह आया हूँ कि यह ऐसा ही होगा जैसा 'ऋषि' को 'रिशि' लिखना। भाषाकाव्य मेँ 'ऋषि' को 'रिखि' लिखा जाता रहा है, फिर भी हम आज इसके लिए तैयार न होँगे क्योँकि वर्तनी के साथ अतीत जुड़ा होता है, उच्चारण के साथ वर्तमान। यही बात उर्दू मेँ प्रयुक्त अरबी-फ़ारसी शब्दोँ के साथ है और उनकी मूल वर्तनी ही स्वीकार की जानी चाहिए।

किन्तु इसका दुरुपयोग कर के 'कृष्ण चन्द्र' का 'किशन चंदर' करना और 'राम लाल' का 'राम लअ़ल' करना, 'राजा' का 'राज0' करना, और इन सबके माध्यम से 'उर्दू उच्चारण' का एक मिथक स्थापित करना, धाँधली है। यदि नाजी 'राजा' लिख सकते थे तो मुहसिन काकोरवी क्योँ नहीँ लिख सकते थे?

मैँ समझता हूँ कि यहाँ मेरा क्या कहना है यह और साफ़ होगा यदि निम्नाङ्कित उद्धरण पर ध्यान दिया जाय:

> (इसके अतिरिक्त) बअ़ज़ अल्फ़ाज़ (= कुछ शब्दोँ) का इमाला (वर्तनी) बदल गया है, मस़लन[अ] 'तुझसे (तुजसे)', 'मुझको (मुजको)', 'पाँव (पावँ), वग़ैर0 वग़ैर0। 'ह़रज' के बजाय 'हरज', 'त़य्यार' के बजाय 'तय्यार' लिखना तो लाजिमी सा हो गया है। ... जब तक हर शख़्स अपने को जहाँ-उस्ताद (= विश्व-गुरु) और हर इदार0 (= केन्द्र) अपने को ह़ादी-उल्-कुल (= सर्व-नायक) समझता रहेगा, यह ग़लत़ मबह़स़ (= मिथ्या विवाद) रफ़अ़ न होगा (= सुलझेगा नहीँ)।

यह उद्धरण 20 जुलाई 1938 को लिखे गये एक आलेख से लिया

गया है। इस आलेख के लेखक क़ाज़ी तलम्मुज़ हुसैन हैं और यह 'रियाज़ ख़ैराबादी' के काव्य-सङ्ग्रह की एक भूमिका के रूप मैं छपा है। इस उद्धरण मैं सम्भवतः अति उत्साह के कारण 'हरज' को उसकी सही वर्तनी मैं 'छोटी हे' से लिखना अशुद्ध मान कर उसका 'अरबी-पन' बताने के लिए उसे 'बड़ी हे' से लिखना शुद्ध बताया गया है। इसी प्रकार 'हादी' को उसकी सही वर्तनी मैं 'छोटी हे' से न लिख कर उसका 'अरबी-पन' बताते हुए 'बड़ी हे' से लिखा गया है। यह भी समझना कठिन है कि जब ग़ालिब के यहाँ 'पाँव' ही लिखा मिलता है [3] और हिंदी मैं यह है ही, तो आख़िर यह 'पावँ' आया कहाँ से।

किन्तु उत्साह का यह पक्ष महत्त्वपूर्ण नहीँ, महत्त्वपूर्ण यह है कि क़ाज़ी तलम्मुज़ हुसैन के अनुसार उर्दू की वास्तविक और उचित पहचान अरबी के शब्द को शुद्ध लिखने से और हिंदी के शब्द को अशुद्ध लिखने से प्रकट होती है।

यह स्थिति स्वीकार्य नहीँ है। देशज शब्दौँ को भी उर्दू मैं वही सम्मान मिलना चाहिए जिसे अरबी शब्दौँ को देने का आग्रह है। शायद यह भी निश्चित करना उचित होगा कि उर्दू मैं 'अरबी-फ़ारसी के तत्सम शब्द' की क्या परिभाषा हो। उर्दू कविता और भारतीय फ़ारसी कविता मैं आधार मध्य-एशिया की फ़ारसी है, अरबी नहीँ। इसलिए प्रश्न केवल इतना ही है कि उर्दू मैं 'फ़ारसी के तत्सम शब्द' की क्या परिभाषा हो। मैं समझता हूँ कि इसके निश्चित मानक उर्दू मैं भी प्रस्तुत किये जाने चाहिए कि उर्दू मैं फ़ारसी के तत्सम शब्द कैसे लिखे जायँगे। मेरी समझ मैं यह आता है कि उन्नीसवीँ शताब्दी के अन्त मैं जो फ़ारसी के शब्दकोष भारत मैं बने हैं, उन्हीँ की वर्तनी मानक मानी जानी चाहिए। अपनी तरफ़ से मैं 'फ़र्हंग+ए+आनन्दराज' और Steingass के शब्दकोषौँ की वर्तनी अपनाने की बिनमाँगी सलाह देता हूँ जिसमैं वरीयता 'फ़र्हंग+ए+आनन्दराज' को दी जानी चाहिए।

इस प्रकार मेरी समझ मैं हिंदू मैं ज़का^व^त और सला^व^त लिखना

[3]उनकी जो ग़ज़ल धोता हूँ जब मैं पीने को उस सीमतन के पाँव से प्रारम्भ होती है, वह रदीफ़ 'वाव' मैं शामिल है और प्रारम्भ से ही इसी वर्तनी मैं है, जैसा कि अर्शी साहब के संस्करण से प्रकट है।

चाहिए किन्तु हआ॑त न लिख कर हयात लिखना चाहिए।

4. यदि '+ए+' के पूर्व के शब्द का अन्तिमाक्षर 'ऊ' की मात्रा से युक्त है तो उसके उच्चारण में 'ऊ' साधारणतया 'उ' में बदल जायेगी। उदाहरण के लिए

मौज+ए˘+ख़मयाज़0+ए+यक नश्श0 चि∅ इस्लाम चि∅ कुफ़्र
कज़ी˘+ए+यक ख़त+ए+मिस्तर चि∅ तवह्हुम चि∅ यक़ीं
क़िब्ल0+ओ+अब्रू˘+ए+बुत, यक
रह+ए+ख़ा॑बीद0+ए+शौक़
कअ˘ब0+ओ+बुतकद0 यक
महमिल+ए+ख़ा॑ब+ए+संगीं

में 'अब्रू˘+ए+बुत' में 'ऊ' का उच्चारण 'ह्रस्व उ' है।
किन्तु इसी क़सीदे के शेर

तोड़े है इज्ज़+ए+तुनकहौसल0 बर रू+ए+ज़मीं
सज्द0 तिम्साल वह आईन0 कहें जिसको जबीं॥

में 'रू+ए+ज़मीं' में 'ऊ' का उच्चारण 'दीर्घ उ', अर्थात् 'ऊ' है।
जैसा कि देखा जा सकता है, स्वयं इज़ाफ़त वाली '+ए+' का उच्चारण 'अब्रू˘+ए+बुत' में भी 'ह्रस्व ए' है और 'रू+ए+ज़मीं' में भी।
किन्तु ग़ालिब के एक दूसरे शेर को सामने रखिए:

ब∅-रू+ए+क़ैस दस्त+ए+शर्म है मिज़्गान+ए+आहू से
मगर रोज़+ए+अरूसी गुम हुआ था शान0 लैलीय का॥

इसके अन्तर्गत 'ब∅-रू+ए+क़ैस' में इज़ाफ़त वाली '+ए+' का उच्चारण 'दीर्घ ए' है।
मेरा सोचना यह है कि किसी शेर में 'ह्रस्व ए' आदि के उच्चारण सम्बन्धी वैभिन्न्य चूँकि छन्द पर आधारित होते हैं इसलिए उच्चारण सम्बन्धी सहायक चिह्न तभी दिये जाँय जब छन्द का निर्देश आवश्यक हो। इसलिए मैं समझता हूँ कि

फ़ा	इ	ला	तुन्	फ़ा	इ	ला	तुन्
नक़्	श	फ़र्	या	दी	है	किस्	की
ऽ	।	ऽ	ऽ	ऽ	।	ऽ	ऽ
फ़ा	इ	ला	तुन्	फ़ा	इ	लुन्	
शो	ख़ी	ए	तह्	री	र	का	
ऽ	।	ऽ	ऽ	ऽ	।	ऽ	

जैसे किसी विश्लेषण में ही शोख़ी +ए+तह्रीर आदि लिखना आवश्यक है; अन्यत्र काव्य-पङ्क्ति के देवनागरीकरण में शोख़ी+ए+तह्रीर लिखना पर्याप्त होना चाहिए, और गद्यावतरण के देवनागरीकरण में 'ह' तथा ह् का भी भेद मिटा कर शोख़ी+ए+तहरीर लिखना पर्याप्त होना चाहिए।

जब से रिंदों में हुआ जाम+ए+सिफ़ालीं ईजाद
पानी-पानी यø हुआ, जाम नø जम का निकला॥

—रियाज़ ख़ैराबादी।

अधिकरण 4

'आना ही समझ मैं मेरी आता नहीँ गो आये'

उर्फ़

देवनागरी मैं ग़ालिब बरास्ता सरदार जाफ़री

सुर्ख़ी +ए+मय से रही मह्फ़ूज़ यह रीश+ए+सपेद
ऐ **रियाज़** इस तर्ह् हम, साक़ी की मह्फ़िल मैं रहे॥

—रियाज़ ख़ैराबादी।

अली सरदार जाफ़री द्वारा सम्पादित ग़ालिब का दीवान 1958 मैं हिंदुस्तानी बुक ट्रस्ट द्वारा छापा गया था और यद्यपि भूमिका का एकमात्र उद्देश्य ग़ालिब को प्रगतिशील लेखक संघ के उन्नीसवीँ सदी मैं ना-आफ़रीदा गुलशन (= अनिर्मित उद्यान) का अंदलीब (= बुलबुल) [1] साबित करना था, उस समय इसका मूल्य पचीस रूपये रखा गया था। तुलना के लिए, हिंदी की अनमोल निधियौँ मैं से एक, पिशेल के 'प्राकृत भाषाऔँ का व्याकरण' का हेमचन्द्र जोशी कृत अनुवाद, जो ग्यारह सौ

[1]पाठक की दृष्टि से यह निश्चय ही ओझल न होगा कि मेरा इशारा ग़ालिब के इस प्रसिद्ध शेर की ओर है:

हूँ गर्मी+ए+नशात्+ए+तसव्वुर से नग़्म0-संज
मैं अंदलीब+ए+गुलशन+ए+ना-आफ़रीद0 हूँ ॥

पृष्ठौं से ऊपर की पुस्तक है और जिसका रूपान्तरण-प्रकाशन-श्रम एक लाख गुना अधिक है, 1958 मैं ही प्रकाशित हुआ था और उसका बीस रूपये दाम था।

भूमिका से पता चलता है कि "श्री मुग़नी अमरोहवी ने ग़ज़लौं को देवनागरी मैं लिपिबद्ध किया और हर पृष्ठ का संशोधन किया और श्री प्रेमस्वरूप शर्मा ने शब्दावली सम्पादित करने मैं मेरा हाथ बँटाया", अर्थात् श्री अली सरदार जाफ़री ने एक भूमिका लिखने के अलावा कुछ नहीं किया।

इस भूमिका मैं यह आशा प्रकट की गयी है कि अली सरदार जाफ़री द्वारा सम्पादित ग़ालिब के "इस दीवान के प्रकाशन से उर्दूवालौं और हिन्दीवालौं के दिलौं मैं प्रेम के नये पुष्प" खिलैंगे और "हमारा देश और हमारी भाषा उनकी सुगन्ध से महक" उठैंगे।

"इस दीवान के प्रकाशन" से पहले भी 'हिंदीवाले' ग़ालिब को पढ़ते रहे थे। जिन नये पुष्पौं को खिलाया गया है उनकी एक झलक मैं आगे दे रहा हूँ किन्तु "ढूंडे है उस मुग़न्नि-ए-आतश नफ़स को जी" और "भूके नहीं हैं सैर-ए-गुलिस्ताँ के हम वले" के पुष्पौं से जो सुगन्ध फैल सकती है उसका कुछ अनुमान तो इसी से लग सकता है कि कई हिंदीवालौं का दर्द अब "नींद क्यौं रात भर नहीं आती" से बदल कर बतर्ज़ सरदार जाफ़री "नीन्द क्यौं रात भर नहीं आती" बन गया है और मिली-जुली संस्कृति की इस महक से हमारी भाषा इतनी भरती जा रही है कि उसमैं साँस लेना कठिनतर होता जा रहा है।

अली सरदार जाफ़री ने अपने संस्करण मैं इस बात की पूरी चेष्टा की है कि ग़ालिब को उनसे देवनागरी मैं पढ़ने वाला कोई पाठक एक भी शेर सही न पढ़ सके और इस प्रकार शाश्वत गँवार 'हिंदीवाला' बना रहे। आगे के विवेचन मैं मैंने 'ख़ू' का 'खू' छप जाने और 'फिर' का 'फ़िर' छप जाने जैसी छपाई की अशुद्धियौं की कोई चर्चा नहीं की है और केवल उन्हीं बातौं पर ध्यान दिया है जिनका सम्बन्ध सम्पादक की अपनी पढ़ाई से है। यह समझना आवश्यक है कि ये उदाहरण केवल प्रवृत्ति का इङ्गित कराने के उद्देश्य से चुने गये हैं और प्रत्येक के ढेर सारे दुहराव मौजूद हैं, यह भी कि जितने मैं यहाँ दे रहा हूँ, उनसे वे बहुत ज़ियादा हैं और मैंने केवल अत्यन्त स्थूल और प्रकट दुर्लिपीकरणौं की

चर्चा की है; थोड़ा सूक्ष्म विवेचन से देखे जा सकने वाले दुर्लिपीकरणौं की चर्चा मैंने नहीं की है।

प्रकाशन के तीस वर्ष बाद 1988 मैं राजकमल पेपरबैक्स के माध्यम से यह संस्करण उन पाठकौं तक पहुँचा जो ग़ालिब के दीवान के लिए आईएमएफ़एल की पूरी बोतल के पैसे देने मैं सक्षम न थे और एक पेग की ही क़ीमत अदा कर सकते थे। इस संस्करण मैं कुछ पाठशोधन किया गया है यद्यपि इसकी कोई सूचना देना आवश्यक नहीं माना गया। इन्हीं पाठशोधनौं मैं से एक महत्त्वपूर्ण पाठशोधन यह है कि कॉपीराइट अब अली सरदार जाफ़री का हो गया।

उदाहरणौं की मेरी सूची मैं से, जहाँ ऐसा कोई पाठशोधन किया गया है, मैंने इस बात की सूचना दे दी है।

इसके पहले कि हम देवनागरीकरण पर आयैं, यह जानना दिलचस्प होगा कि अली सरदार जाफ़री ने ग़ालिब को उर्दू मैं कैसे पढ़ा है।

ग़ालिब का एक शेर है:

> लूँ **वाम** बख़्त+ए+ख़ुफ़्त0 से यक ख़ा^वब+ए+ख़ु^वश, वले
> **ग़ालिब** य∅ ख़ौफ़ है कि कहाँ से अदा करूँ॥

अली सरदार जाफ़री इसे यौं देवनागरीकृत करते है:

> लूँ **दाम** बख़्त-ए-ख़ुफ़्त0 से यक ख़्वाब+ए+ख़ुश, वले
> ग़ालिब यह ख़ौफ़ है कि कहाँ से अदा करूँ॥

यहाँ क्या हुआ है? उर्दू लिपि की कई विशेषताएँ हैं जिनका परिणाम यह है कि यदि आप शब्द को पहले से नहीं पहचानते तो उसे पढ़ने मैं धोखा हो सकता है। दो अक्षर 'दाल' और 'वाव' अपनी आकृति मैं इतने मिलते-जुलते हैं कि हस्तलेखौं मैं बराबर भ्रम उत्पन्न होने का ख़तरा बना रहता है। यहाँ भी **वाम** (= ऋण) को **दाम** (= क़ीमत) पढ़ लिया गया है और इस प्रकार अर्थ यह हो जाता है कि ग़ालिब ने 'ख़ा^वब+ए+ख़ु^वश' को 'बख़्त+ए+ख़ुफ़्त0' के हाथौं बैंच दिया था।[2]

यह कैसे हो सकता है? यह शब्द को समझने मैं काहिली से होता है,

[2]राजकमल के संस्करण मैं यह अशुद्धि ठीक कर दी गयी है और 'वाम' लिखा गया है।

और कवि तथा कविता के प्रति अपमानजनक "कौन जाने यह सिरफिरा क्या कहना चाहता है" का भाव रखने से होता है।
इसी प्रकार ग़ालिब का एक शेर है:

वह सब्ज़0ज़ार-हा+ए+मुत़र्रा, कि० है ग़ज़ब
वह नाज़नींबुतान+ए+खु॰द-आरा, कि हाय हाय!!

अली सरदार जाफ़री इसे यौं देवनागरीकृत करते है:

वह सब्ज़: ज़ारहा-ए-मुतर्र:, कि है ग़ज़ब
वह नाज़नीं बुतान-ए-खुदआरा, कि हाय हाय!!

यहाँ मुत़र्रा का अन्त्याक्षर 'अलिफ़' किस प्रकार 'अन्त्याक्षर छोटी हे' के लिए निश्चित किये गये देवनागरीकरणचिह्न से बताया गया है जब कि उर्दू में दिये गये शेर में सही वर्तनी का 'अलिफ़' मौजूद है? "इन हिंदीवालों को कुछ भी पढ़ कर दे दो" के तर्क से?
कुछ ऐसा ही इस शेर में किया गया है:

मेरे क़दह़ में है सह़बा+ए+आतश+ए+पिन्हाँ
ब० रूय+ए+सुफ़र0, कबाब+ए+दिल+ए+समंदर खींच॥

यहाँ 'सुफ़र0' की जगह 'सुफ़रा' लिखा गया है।[3]

दो शब्द हैं 'सअ़्य' और 'नफ़्य' जिन्हें प्रायः उर्दू में अब 'सअ़ई' और 'नफ़ी' पढ़ते हैं; परिणामस्वरूप जिस शेर में ये शब्द आ जाते हैं वह कुछ लँगड़ा कर के ही पढ़ा जाता है। सरदार जाफ़री ने एक नयी बढ़त यह की है कि वे 'सअ़इ' और 'नफ़ि' पढ़ते हैं और इस प्रकार उनका लिखा गया शेर कुछ जियादा ही लँगड़ाता है।

मैं पहले यह बात उठा चुका हूँ कि कुछ विशेष परिस्थितियों में 'ख़े, वाव' का क्रम आने पर शब्द में 'वाव' लिखा तो जाता है किन्तु उसका उच्चारण नहीं होता। ऐसी ही एक स्थिति का उदाहरण है एक शब्द दर्ख़॰र, जिसकी वर्तनी है 'दाल, रे, ख़े, वाव, रे' और जिसका

[3]राजकमल के संस्करण में यह अशुद्धि ठीक कर दी गयी है और 'सुफ़र:' लिखा गया है।

उच्चारण दर्ख़र होगा। अली सरदार जाफ़री इसे सर्वत्र दर्ख़ुर पढ़ते हैँ और तुर्रा यह कि 'वाव' के ऊपर 'पेश' भी लगाते हैँ, जिसका अर्थ यह है कि वे 'वाव' को यहाँ अनुच्चार्य न मान कर शब्द को 'दर+ख़ुर' समझते हैँ। किन्तु इस वर्तनी मेँ लिखने-समझने से शब्द का अर्थ होगा 'सूर्य (=ख़ुर) मेँ (= दर)'। इस तरह अली सरदार जाफ़री द्वारा इस प्रकार देवनागरीकृत शेर:

दरखुर+ए+क़ेह्र+ओ+ग़ज़ब जब कोई हम सा न हुआ
फिर ग़लत क्या है कि हम सा कोई पैदा न हुआ॥

मेँ 'दरख़ुर+ए+क़ेह्र+ओ+ग़ज़ब' का अर्थ होगा 'क्रोध और दण्ड के सूर्य मेँ', जब कि वास्तविक शब्दसमूह है दर्ख़[व]र+ए+क़ह्र+ओ+ग़ज़ब और इसका अर्थ है 'क्रोध और दण्ड के लिए उपयुक्त पात्र'।

ग़ालिब का शेर है:

वह ह़ल्क़0-हा+ए+ज़ुल्फ़, कमीँ मेँ हैँ ऐ ख़ुदा
रख लीजो मेरे दअ़वी[य]+ए+वारस्तगी की शर्म॥

इसमेँ दअ़वी[य] शब्द आया है जिसका अन्तिमाक्षर 'या' है और उसे 'आ' या 'ई'की तरह पढ़ा जाता है। जाफ़री साहब ने देवनागरीकरण करते समय इस शब्द को दा'वः लिखा है। हम यह स्मरण करेँ कि जाफ़री साहब की पद्धति मेँ ':' का चिह्न अन्तिमाक्षर 'छोटी हे' के लिए सुरक्षित है जिसे वे 'संस्कृत मेँ विसर्ग की मूल आवाज़' बताते हैँ। ठीक यही ग़लती इस शेर मेँ भी हुई है;

उल्फ़त+ए+गुल से ग़लत़ है, दअ़वी[य]+ए+वारस्तगी
सर्व है बावस्फ़+ए+आज़ादी गिरिफ़्तार+ए+चमन॥

इसमेँ भी दअ़वी[य] को दा'वः से देवनागरीकृत किया गया है।

ऐसा उन्होँने क्योँ किया?

यह विश्वसनीय नहीँ है कि जाफ़री साहब दअ़वी[य] का अन्तिमाक्षर 'छोटी हे' मानते हैँ। फिर क्या कारण है?

यहाँ जो गड़बड़ी हुई है उसका कारण स्पष्ट है। यहाँ इज़ाफ़त है और इसी मेँ वह सङ्कट है जिससे मुँह चुराने की कोशिश मेँ जाफ़री साहब ने धोखा खाया और दिया है।

इज़ाफ़त के प्रकरण मैं मैंने इसका उल्लेख किया है कि यदि इज़ाफ़त की 'ए', जिसे मैंने '+ए+' से बताया है, के पहले के शब्द का अन्तिमाक्षर 'आ' की मात्रा से युक्त हो तो 'आ' का उच्चारण वैसा ही रहता है, अर्थात् 'आ' कभी भी 'आ˘' नहीं होता और उसका उच्चारण कभी भी 'अ' के रूप मैं नहीं होगा। यह बात 'ई' के साथ सच नहीं है, यह भी मैने वहीं स्पष्ट किया है, अर्थात् यदि इज़ाफ़त की '+ए+' के पहले के शब्द का अन्तिमाक्षर 'ई' की मात्रा से युक्त हो तो 'ई' का 'ई˘' हो सकता है और उसका उच्चारण 'इ' होगा। यहाँ ग़ालिब ने यही किया है; दअ़वी[य] को दावी उच्चारण के साथ इस्तेमाल किया है और इसलिए दअ़वी[य] +ए+वारस्तगी को वे दअ़वी˘ +ए+वारस्तगी के रूप मैं दावि ए वारस्तगी के उच्चारण के साथ पढ़ सके हैं।

दअ़वी[य] को दअ़वा[य] पढ़ा जा सकता है और उर्दू मैं यही प्रचलित है। किन्तु प्रस्तुत उदाहरण मैं छन्द टूटता है यदि हम ऐसा करते हैं। यदि दअ़वा[य] पढ़ते हैं, अर्थात् दावा उच्चारण करते हैं तो छन्द-निर्वाह का एक ही तरीक़ा है कि दावा को दावा˘ कर दिया जाय अर्थात् दाव उच्चारण किया जाय। जाफ़री साहब ने यही किया है। उनकी पद्धति मैं ऐसा तभी सम्भव था जब 'आ' की मात्रा ':' से आती हो। सो उन्होंने यही कर दिखाया।

जाफ़री साहब ने इस पर ध्यान नहीं दिया कि ग़ालिब ने उर्दू मैं बराबर वे उच्चारण प्रयुक्त किये हैं जो फ़ारसी मैं स्वीकृत हैं किन्तु जिन्हें उर्दू मैं स्वीकृति नहीं है। संक्षेप मैं, उन्हें यह विस्मृत हो गया कि इस शब्द का प्रयोग दावा उच्चारण के साथ भी हो सकता है और दावी उच्चारण के साथ भी हो सकता है।[4]

यह विस्मरण अकेला नहीं। एक ग़ज़ल यों प्रारम्भ होती है:

> दह्र मैं नक़्श+ए+वफ़ा वजह+ए+तसल्ली नø हुआ
> है यø वह लफ़्ज़ किø शर्मंद0+ए+मअ़नी[य] नø हुआ॥

इसमैं आगे अफ़्ई़ नø हुआ, राज़ी नø हुआ, तक़्वी[य] नø हुआ, तसल्ली नø हुआ, वह भी नø हुआ, ई़सी[य] नø हुआ आते हैं। जाफ़री साहब ने तक़्वी[य]

[4]मेरा ध्यान इस ओर दिलाया गया है कि उर्दू के कुछ शब्दकोषों मैं दावा उच्चारण को अपरिवर्तनीय मन कर इज़ाफ़त की स्थिति मैं दावी उच्चारण का दाव उच्चारण करना बताया गया है। मेरी समझ मैं इसका सिर्फ़ यह मतलब होता है कि यह गड़बड़ी जाफ़री साहब की अपनी खोजी हुई नहीं और उर्दू मैं बहुत से लोग इस भूल को नियम मानते हैं।

न∅ हुआ को तक़्वा न∅ हुआ और ईसीय न∅ हुआ को ईसा न∅ हुआ के रूप मैं देवनागरीकृत किया है जिससे यह साबित हो जाय कि ग़ालिब को क़ाफ़िया मिलाने भी नहीँ आता था।

रेख़ते के तुम्हीँ उस्ताद नहीँ हो ग़ालिब!
सुनते हो, पिछ्ले ज़माने मैं है सर्दार भी एक!!

एक ग़ज़ल यौं प्रारम्भ होती है:

शब कि∅ वह मजलिस-फ़ुरोज़+ए+ख़ल्वत+ए+नामूस था
रिश्त0+ए+हर शम्अ़ ख़ार+ए+किस्वत+ए+फ़ानूस था॥

इसमैं आगे पाबूस था, अफ़्सूस था, कैमूस था आते हैं। जाफ़री साहब ने पाबूस था को पाबोस था, और अफ़्सूस था को अफ़्सोस था के रूप मैं देवनागरीकृत किया है और यह विस्मृत कर दिया है कि पाबोस का पाबूस और अफ़्सोस का अफ़्सूस उच्चारण फ़ारसी मैं सम्भव है।

ये कुछ उदाहरण ऐसे हैं जिनमैं उर्दू मैं भी ग़ालिब को ग़लत पढ़ा गया है। अब मैं उन उदाहरणौं पर आता हूँ जो देवनागरीकरण के सिद्धान्तौं और व्यवहारौं से सम्बन्धित हैं।
अली सरदार जाफ़री अपने संस्करण की भूमिका मैं लिखते हैं:

> नागरी मैं अत्फ़ और इज़ाफ़त के लिखने के जो तरीक़े प्रचलित हैं वह दोषपूर्ण हैं। उनसे शब्दौं का मूल रूप बिगड़ जाता है और कभी-कभी अर्थ का अनर्थ हो जाने की आशङ्का होती है। जैसे साधारणतः "गुल और बुलबुल" को लिखने के लिए "गुलो बुलबुल" लिखा जाता है या "गुल व बुलबुल"। एक मैं 'गुल' का रूप बिगड़ गया है और दूसरे मैं उच्चारण की अशुद्धि की सम्भावना है।

'अत्फ़' से तात्पर्य है 'और'-सूचक 'वाव = व' का जो हिन्दी मैं प्रायः 'व' से रूपान्तरित होता रहा है। अली सरदार जाफ़री ने इज़ाफ़त के योजक चिह्न के लिए -ए- का और 'अत्फ़' के योजक चिह्न के लिए -ओ- का प्रयोग किया है। किन्तु जिन आधारौं पर उन्हौंने इज़ाफ़त के प्रचलित देवनागरीकरण को त्रुटिपूर्ण ठहराया था, वे उनके प्रस्तावित

देवनागरीकरण मैं वर्तमान हैं। उदाहरण के लिए ग़ालिब की पहली ग़ज़ल का पहला शेर इस प्रकार देवनागरीकृत है:

नक़्श फ़रियादी है किसकी शोख़ि-ए-तहरीर का
काग़ज़ी है पैरहन, हर पैकर-ए-तस्वीर का॥

इसमैं ('फ़र्यादी' को 'फ़रियादी' लिखने और 'कागज़ी' को 'काग़ज़ी' लिखने की अशुद्धियौं के अतिरिक्त) 'शोख़ी' का रूप बिगाड़ कर 'शोख़ि' कर दिया गया है जो वैसा ही अनुचित है जैसा 'गुलो बुलबुल' मैं 'गुल' का 'गुलो' कर देना। शायद तर्क यह रहा होगा कि 'शोख़ी-ए-तहरीर' का उच्चारण यहाँ 'शोख़ि-ए-तहरीर' ही होता है किन्तु उच्चारण तो 'गुल्-ओ-बुलबुल' का भी 'गुलो बुलबुल' ही करना होता है फिर 'गुलो बुलबुल' मैं क्या बुराई थी?
वस्तुतः सिद्धान्त बताना तब तक भ्रामक ही रहता है जबतक वह पूरा न बताया जाय और अधूरे सिद्धान्त का अनुपालन हमेशा ही भ्रामक होता है। अली सरदार जाफ़री ने सिद्धान्त बताया है कि "इज़ाफ़त की अलामत (=सङ्केतचिह्न) ज़ेर (='इ' का मात्राचिह्न) से लिखी जाती है" और आगे कहते हैं कि "इस तरह (अर्थात् उनके देवनागरीकरण मैं) इज़ाफ़त का ज़ेर ये मैं नहीं बदलता"; यह भ्रामक है क्यौंकि इज़ाफ़त की अलामत (= संकेतचिह्न) न केवल 'ये' (='य' की ध्वनि बताने वाला वर्ण जिससे 'ए' और 'ई' के मात्राचिह्नौं का भी काम लेते हैं) से भी लिखी जाती है अपितु उसे कहीं 'आधा ए' और कहीं पूरा 'ये' पढ़ना भी पड़ता है। इसी ग़ज़ल का (अली सरदार जाफ़री के संस्करण मैं) दूसरा शेर इस प्रकार देवनागरीकृत है:

काव-ए-काव-ए-सख़्त जानीहा-ए-तन्हाई न पूछ
सुब्ह करना शाम का लाना है जू-ए-शीर का॥

इसमैं ('कावकाव' को 'काव-ए-काव' लिखने और 'सख़्तजानीहा' को 'सख़्त जानीहा' लिखने की अशुद्धियौं के अतिरिक्त) 'सख़्तजानीहा-ए-तन्हाई' और 'जू-ए-शीर' मैं आयी इज़ाफ़तौं की अलामतैं 'ज़ेर' से नहीं लिखी जातीं, वे 'ये' से लिखी जाती हैं और उन्हैं कहीं 'आधा ए' और कहीं 'पूरा ये' पढ़ना भी पड़ता है।

वस्तुतः इज़ाफ़त की अलामत किससे लिखी जाती है यह तो प्रासङ्गिक ही नहीं है क्यौंकि प्रायः वह लिखी ही नहीं जाती।
इज़ाफ़त का चिह्न, (जब वह लिखा जाता है तब) कभी ज़ेर से, कभी 'या' से, कभी 'हम्ज़0' [5] से लिखा जाता है।
इज़ाफ़त का कोई एक चिह्न या कोई एक उच्चारण नहीं है।

अपने बनाये हुए सिद्धान्तौं का जाफ़री साहब द्वारा निरन्तर उल्लङ्घन किया गया है। इस शेर

> अदा+ए+ख़ास से **ग़ालिब** हुआ है नुक्त0सरा
> सला+ए+आम है यारान+ए+नुक्त0दाँ के लिए॥

के शब्दार्थ देते हुए सरदार जाफ़री लिखते हैं: "सलाये आम हमारी लिखावट के अनुसार अशुद्ध है"। इस सन्दर्भ मैं हम यह प्रश्न पूछ सकते हैं कि यदि ऐसा ही है तो भूमिका मैं बराबर 'याये मजहूल' क्यौं लिखा गया है, वहाँ भी 'या-ए-मजहूल' क्यौं नहीं लिखा गया?
अनुस्वार और अनुनासिक की तो कोई समझ इस लिप्यन्तरण मैं है ही नहीं। 'नीन्द' और 'रँग' भरे पड़े हैं। दिलचस्प यह है कि एक ही 'न्' दो दो बार पढ़ा जाता है और 'जुनूँन' जैसी लिखावट बराबर मिलती है।
कहीं 'ख़ज़ाँ' है कहीं 'ख़िज़ाँ', कहीं 'निशात' है कहीं 'नशात'।
कहीं 'पंबः' है कहीं 'पँबः'।

> हम दुआ लिखते रहे, और वह दग़ा पढ़ते रहे!

लेकिन मैं अब इस अप्रिय प्रसङ्ग को समाप्त करता हूँ:

> मेरे लब तक ज़ुअ॒फ़ मैं आ जाय तो इह्सान है,
> क्यौं उठाये आसमाँ सर पर, दुआ को क्या ग़रज़॥

—रियाज़ ख़ैराबादी।

[5] यह कई काम करता हुआ माना जाता है और इसे कुछ लोग एक 'वर्ण (= letter)' भी मानते हैं। व्यवहारतः यह केवल आक्षरिकता-बोधक चिह्न (syllabicity mark) है। इसलिए यद्यपि मैंने कहा है कि 'इज़ाफ़त का चिह्न' हम्ज़0 से लिखा जाता है, सच यह है कि इस स्थिति मैं हम्ज़0 से इज़ाफ़त का चिह्न नहीं लिखा जाता अपितु आक्षरिकता-बोधक चिह्न (syllabicity mark) की सूचना दी जाती है।

— — — — —

मयख़ान0 में नमाज़ जो की तूने जल्द ख़त्म,
सूर0 बड़ा न∅ था कोई तुझको, इमाम, हि़फ़्ज़॥

—रियाज़ ख़ैराबादी।

महात्मा गाँधी अन्तरराष्ट्रीय हिंदी विश्वविद्यालय तथा केन्द्रीय हिंदी संस्थान आगरा द्वारा आगरा में 15 - 16 सितंबर 2002 को 'उर्दू का देवनागरीकरण' शीर्षक से आयोजित राष्ट्रीय कार्यशाला में यह परचा पढ़ा गया था। वहाँ यह सहमति हुई कि उर्दू को देवनागरी में लिखने के लिए दो स्तरों पर देवनागरीकरण की प्रक्रिया अपनायी जानी चाहिए। पहले स्तर पर, जिसे 'लोकप्रिय स्तर' कहा जा सकता है, प्रचलित क़, ख़, ग़, ज़, फ़ से ही काम चलाना चाहिए।

किन्तु जहाँ तकनीकी लेखन (जैसे शब्दकोष) या जिज्ञासु के हितार्थ वैज्ञानिक लिप्यन्तरण की आवश्यकता समझी जाय, वहाँ इस लेख में दिये गये सुझावों को स्वीकार किया जाना उचित होगा।

यहाँ सम्भवतः यह बताना समीचीन होगा कि श्री शम्सुर्रहमान फ़ारूक़ी, और श्री शीन काफ़ निज़ाम समेत उर्दू के अनेक मूर्धन्य विद्वान् इस कार्यशाला में मौजूद थे। इसके साथ ही भाषा-विज्ञान, संस्कृत, फ़ारसी, अरबी के भी कई विद्वान् एकत्र थे। हिंदी से बहुत से अन्य विद्वानों के अतिरिक्त आदरणीय नामवर जी और श्री अशोक वाजपेयी की उपस्थिति थी। इस प्रकार इस सहमति को निरस्त करना विना इससे अधिक वैज्ञानिक बहस, और विना इससे अधिक राष्ट्रीय समर्थन जुटाये उचित न होगा, ऐसा मैं समझता हूँ।

आगे एक टेबुल में 'स्तर दो' का लिप्यन्तरण-प्रस्ताव पाठकों की सुविधा के लिए दिया जा रहा है।

ا	अलिफ़	अ, आ, इ, उ	ب	बे	ब
پ	पे	प	ت	ते	त
ث	से	स़	ج	जीम	ज
چ	चे	च	ح	(बड़ी) हे	ह़
خ	ख़े	ख़	د	दाल	द
ذ	ज़ाल	ज़	ر	रे	र
ز	ज़े	ज़	ژ	(फ़ारसी) ज़े	झ़
س	सीन	स	ش	शीन	श
ص	स्वाद	स़	ض	ज़्वाद	ज़
ط	तोय	त़	ظ	ज़ोय	ज़
ع	ऐन	अ़	غ	ग़ैन	ग़
ف	फ़े	फ़	ق	क़ाफ़	क़
ک	काफ़	क	گ	गाफ़	ग
ل	लाम	ल	م	मीम	म
ن	नून	न	و	वाव	व
ہ	(छोटी) हे*	ह	ی	ये	य
ى	अलिफ़ मक़सुरा	*	ة	गोल ते	**

'ट' आदि के लिए कोई देवनागरी अक्षर बताने की ज़रूरत नहीं है क्योंकि वे 'ट' आदि लिखने के लिए ही फ़ारसी लिपि में जोड़े गये हैं।

* पाठकों से अनुरोध है कि वे '(छोटी) हे' और 'अलिफ़ मक़सुरा' की समस्या को पुस्तिका के भीतर की गयी चर्चा से समझें।

** 'गोल ते' फ़ारसी और उर्दू में अप्रासङ्गिक है।